新潮文庫

# 知りたがりやの猫

林 真理子 著



新潮社版

8196

目次

# 知りたがりやの猫

# 偶然の悲哀

世の中には色ごとが雨のように降りそそぐ女がいるが、私の場合、偶然の事件というものがよく私の肩をびっしょりと濡《ぬ》らす。それはあまりにも多く、あまりにもつくりものめいているので、物書きということを差し引いても人は私のことを嘘《うそ》つきのように思うようである。

こんなことがあった。今から二十年近くも前の話であるが、あたかも一篇の短篇小説のような出来事であったから、今でも鮮明に憶《おぼ》えている。

安藤有紀子は大学の同級生であった。私たちは朝から晩までほとんど行動を共にしていたのであるが、親友と呼ぶには彼女はいささか眩《まぶ》し過ぎる存在であった。背はそう高くないが華やかな美人で、濃い化粧をするととても女子大生には見えなかった。あの頃《ころ》の女子学生というのは、たいてい私のようにジーンズ姿でろくに口紅をひかないものであったが、彼女は高価な注文服にきつくアイラインを入れていた。そうすると彼女は若い女優か、あるいは金持ちの老人に囲われている女のように見えたものだ。

といっても、彼女の化粧やおしゃれというのははなはだ気まぐれなもので、着飾るための努力をよく彼女は放棄する。若く美しい女には全く珍しいことであったが、有紀子は大変な出不精であったのだ。へたをすると部屋着のままで、煙草《たばこ》をくゆらしながら一週間も過ごすことがある。大学にもほとんど行かず、一年留年したのだから、その出嫌いは徹底していた。どうやら私と知り合う前に、いくつかの男出入りや社交生活があったらしいのだが、すっかりそうしたことに飽き、二十二歳の彼女は隠遁《いんとん》生活を送っていたところであった。彼女の庵《いおり》は青山の一等地にあるマンションで、三部屋に広いバルコニーが付いていた。そのバルコニーで、彼女は部屋着とも寝巻きともつかない白いジャージーのワンピースを風にそよがせ、植木に水をやる。唐突に彼女は何かに深い愛情を注ぐのだ。彼女のこの時の相手は、ユーカリの植木であった。

「植物って人間の言葉がわかるんだって。ほら、私たちが喋《しゃべ》ってるのがわかって、照れて揺れてるでしょう」

私には単に風にそよいでいるとしか思えなかったのであるが、彼女に媚《こ》びて、本当にそうねとさも感に堪《た》えぬように頷《うなず》いたものだ。その頃の私の役割といえば、青山の庵にいりびたり、世間話などをしていく里の女、といったところではなかっただろうか。

　有紀子は私にさまざまな話をしてくれた。たまに化粧をして外に出かけると、落とさずにそのまま寝入ってしまう彼女の肌は大層荒れている。そしてその整った美しい顔と白っちゃけた肌は、私に寂寥感《せきりょうかん》をもたらし、彼女の言葉はひとつひとつ胸に沁《し》みわたっていくのだ。

「私は今まで人とそんなに争ったことも憎んだこともないけれど――」

　本当にそうだ。有紀子は恋人以外の人間にそれほどの情熱を燃やす人間ではないことにとうに私は気づいていた。

「一度だけ大喧嘩《おおげんか》をしたことがあるのよ。それはね、大げさな言い方をすればちょっと私の人生観を変えるような出来事だったわ」

　これでも私だって十八歳の時はものすごいねんねだったのよ。純情で世間知らずで怖がりでねと、有紀子は少し煙草のヤニのにおいがする息を吐きかけながら話し始めた。

　上京した彼女はすぐさま原宿にある女子会館に入れられたという。金持ちのお嬢さまたちをきちんとお預りしますと宣言し、大層話題になったあれだ。しかしいくらねんねだったといっても、有紀子のような娘が二ヶ月もいられるわけもなく、彼女はいろいろと策略を練った。その結果親に幼なじみの親友と暮らすから、女子会館を出たいと訴えたのだ。

「その女の子の名前はねえ、〇〇って言うのよ」

有紀子は風邪薬の箱の上にボールペンで、おそろしく画数の多い苗字《みょうじ》を書いた。古代、帝に仕えた者の子孫のような名前であった。

「むずかしい変わった名前ね。普通の人じゃちょっと読めないよ」

「うちの方の田舎に時々ある名前よ。でも東京の人にはきっと読めないでしょうね」

下に続く名前は〇〇春子という。苗字とはうってかわって平凡な名前だ。中学校、高校を通じて大変な優等生だったという春子は、有紀子の父親に大変な信頼があったそうだ。北陸で一、二を争う地場産業の社長をしていた有紀子の父親は、愛娘《まなむすめ》の条件を呑《の》み、投資を兼ねて青山のマンションを購入した。少女二人住むには贅沢《ぜいたく》過ぎる環境である。もちろん有紀子の父親は、娘の親友から家賃を取ったりはしない。生活費は折半という取りきめだったというが、同じ十八歳といっても有紀子は目を剝《む》くような額の仕送りを毎月貰《もら》う娘、春子の方は昼間働きながら二部の大学に通う娘であった。春子の家は普通の、というよりやや貧しい方に属する地方のサラリーマンで、娘を東京の大学に通わせる余裕がなかった。それなのに春子は絶対大丈夫と言われた地方の国立大学を落ちてしまった。運命に立ち向かおうとするけなげな親友の姿に、有紀子はすっかり心を打たれた。そして愚かにも同情という、同い齢《どし》の女友だちに絶対与えてはいけないものをふんだんに差し出してしまったのだ。こうした無邪気で配慮のない善意が、相手の心にどれほど暗い憎悪《ぞうお》の芽を育てていくか、有紀子が気づいたのは何と一年以上もたってからだ。

ある日久しぶりに帰省した有紀子は、田舎の生活にすっかり飽きて三日も早く戻ってきた。そして青山のマンションのドアを開けた彼女は、脱ぎ捨ててある靴の多さと流れてくる音楽に啞然《あぜん》とする。

「つまり春子が私の留守にパーティーをしていたのよ。大学の友だちを集めてね。自分は金持ちの娘で、親戚《しんせき》のマンションをひとりで借りている。表札に安藤っていう名前があっても気にしないでチャイムを押してね。名義上親戚の表札を出しているの。私はひとり暮らしで、とっても素敵に暮らしているの、みたいなことを日頃言っていたのね。だから玄関から入ってきた時の私を見た彼女の顔ってなかったわ。真青になっちゃってね。そしてぷいと横を向くの。私はすべてのことを察してあげて、親戚の手伝いに来ている女のふりをしたわよ。水割りの氷をつくってやったり、料理も運んであげた。だけどそのことがますます彼女の気持ちを怪獣みたいにさせたのね。その後すぐに喧嘩別れよ」

私も若かったし馬鹿《ばか》だった。同い齢の女が二人、肉親でもないのにうまくいくはずがないわよねえと有紀子はため息をつき、私はいつものように、

「有紀ちゃんは本当にお人よしなんだからァ」

と慰《なぐさ》めたものだ。しかし私の心はその春子という少女に強く打たれた。どんなにつらかっただろうかと、私はそのパーティーの夜をせつなく想像するのだった。美しい有紀子は私の憧《あこが》れであったが、春子は違う。うまく言えないが彼女は失敗した私の前任者、とても近いところに居た女なのだ。私の中に意地の悪い興味が全く無いと言ったら嘘になるが、私はいつしか春子のことを熱心に有紀子から聞き出すようになった。

「そういう暗い女って、やっぱりブスなんだろうね」

「あのね、蟹《かに》みたいにエラが張ってんの。おじさんみたいな顔」

なぜかはしゃいだ声を出す有紀子は、私に何枚かのスナップ写真を見せてくれた。厚化粧をし胸の大きく開いたワンピースを着た有紀子（彼女はそういう服装がとても好みであった）の傍に、浅黒い肌の少女がいた。蟹というのは大げさとしても確かに四角い形の顔だ。どの写真もしっかり唇が閉じられているのが、彼女の負けん気を示しているようだった。醜いというわけでもないが、艶《あで》やかさや可憐《かれん》さといったものが

まるでない。頑《かたく》なな融通のきかなさが表情に現れている。とても十八歳とは思えないほど、ぼったりした色香をかもし出す有紀子とは対照的だ。

その頃私は田端《たばた》にある小さなアパートに住んでいた。そのアパートは全く掘り出し物といってもいいところで、土地持ちの老人がそう阿漕《あこぎ》なことを考えずに建てたものだ。家賃も安かったし、広い中庭もあった。中庭の正面が地主の家、庭をとり囲むように三棟のアパートがあり、少し広さが違い、少し家賃が違うようになっていた。

ある日、定められたブロック塀の前にゴミを出しに行った私は、真新しいポリバケツの前で足が止まった。震えるほどの興奮と驚きがきた。そのポリバケツには太いマジックで黒々と「〇〇」という名前が書かれていたのである。おそらく常用漢字には載っていないだろうその文字は、冬の陽ざしを浴びてまがまがしい呪詛《じゅそ》のようにも見えた。

「春子に違いない。春子がここに引越してきたのだ」

私は身内から震えるような感動に包まれた。それは懐《なつ》かしさとも勝利感といってもいいものだ。こんな偶然があっていいものだろうか。東京で何千、いや何万あるアパートの中で、私と春子は再会したのだった。それは確かに再会といっていい。しばらくたって月末、大家に家賃を支払いに行った私は、やはり同じ目的で来ていた春子と、ばったり玄関先で会ったのだ。春子は写真よりもはるかに大人びていた。うっすら化粧をし、そう安物には見えないスーツだった。おそらく昼間のOLとしての顔だろう。

「〇〇春子さんでしょう」

私はにっこりと笑いかけた。春子の顔にけげんそうな色が拡《ひろ》がる。彼女の姓を正確に発音する人間など皆無の経験だったに違いない。

「安藤さん、知っているでしょう。私、有紀子の友だちなのよ」

私は春子の表情の変化を一瞬たりとも見過ごすまいと目を凝《こ》らす。その時、私の胸を満たしていたものはほとんど残忍な歓喜というものであった。

「ええ話やあ」

私が最初にこのエピソードを披露《ひろう》した時、鶴田《つるた》純夫《すみお》はしみじみと首を振ったものである。

「物書きっちゅうのはな、こういう偶然を引き寄せる磁気を持ってるか、持ってへんかっちゅうのが肝心なんや。その点、カメはすごい、本当に恵まれてるなァ……」

カメというのは私のニックネームで、もちろん本名の亀山《かめやま》洋子からとったものだ。十八年前、純夫とある同人誌の会合で出会った時、

「ツルとカメが揃《そろ》ってこりゃあめでたい」

と皆に囃《はや》したてられた。それも私の偶然を引き寄せる力といえるかもしれない。純夫はその頃、豊島区役所に勤めていた。大阪弁で喋《しゃべ》る男というのは、大声で押し出しが強いという私の概念は、純夫によってうち破られたといってもいい。彼がぽつりぽつりと口にする大阪弁は、しみじみとした優しさに溢《あふ》れ、彼の人柄そのものだった。

私たちの属していた同人誌は、東京の数ある中でもかなりの有力誌とされ、野心まんまんの人間たちが、その頃でもかなりの時代遅れとされていた文学論をよく戦わせていたものだ。それなのにいちばんおっとりと目立たない純夫が、ある雑誌の新人賞を獲《と》ったのだから世の中は面白いものだ。彼の書くものはリリカルで民話のような趣《おもむき》があると評され、一度は芥川《あくたがわ》賞候補となったこともある。

純夫より二年遅れて商業誌でデビューした私は、全く鳴かず飛ばずで、食べるためにつまらぬ男とつまらぬ結婚をした。小説を続けさせてくれるのが条件だったのに、飯の仕度が遅い、風呂《ふろ》がわいていないと小言で私を責めた。ただひとつの収穫は、男が大変なミステリーファンであったために、棚にあった彼のハヤカワ・ミステリをそれこそむさぼるように読んだことだ。離婚して後、短かいミステリーを書いて知り合いの編集者に見せたところ、意外なほど誉《ほ》められた。十年前のことだ。何冊か書くうち、一冊がテレビ化されてかなりヒットした。とても売れっ子の仲間入りは無理だとしても、ミステリーはノベルスがあるので、そこそこの印税は入る。私は独身時代の純夫に何度か金を貸してやったことさえあるのだ。

が、私たちの同人誌の出世頭は、相変わらず純夫ということになっている。純文学を捨てた私は二番手ということらしい。その純夫だが筆一本で食べていけないからと、ずっと区役所生活を続けていたが、結婚を機に勤めを辞めた。通訳兼翻訳家という稼ぎのいいインテリの妻が、文筆に専念することを勧めたのだ。もともと純夫の書く本の大ファンだったという規子は、少々アイラインの濃い瘦《や》せぎすの女である。幼ない時から父親の仕事の関係で、アメリカやヨーロッパを転々としたという。

「私は日本で故郷というものを持たないから、だからこそスミオの書くものに魅《ひ》かれたのかもしれないわ」

などという規子が私は苦手である。その日本語の発音と同じように、心もとても平《へい》坦《たん》なような気がする。この女が怒ったり、楽しそうに笑ったりするのを見たことがない。仲間うちに言わせると、

「可愛気《かわいげ》がないを通り越して、カスみたいな女」

ということになる。朴訥《ぼくとつ》このうえない純夫と、半分外国人の妻との組み合わせは、

私以外の人間から見ても奇異にうつるものらしい。

「そないに言わんといて。あいつはな、俺の本の一番のファンなんや。俺のことを日本で一番の作家や、天才やと思うとる。俺にとっては有難いで」

と庇《かば》うのも純夫らしい。

今、彼は死の床にある。前からそう酒は飲まない替わり、やたら煙草を吸う男だった。マイルドセブンを手から離さず、前歯四本はヤニで黒ずんでいる。

「そんなに吸うと肺癌《がん》に間違いなくなるよ」

私はたえず注意をしたのだが、今年体の具合が悪いと言い出した時は手遅れだった。ただし肺ではなく肝臓の方だった。

「開けたんですけど、もういろんなところに転移していて手の施しようがないって。すぐに先生は閉めてしまわれたんです。これから放射線でやっていくけれども、奇跡を信じるより他ないって……」

そう言って泣き崩れる規子を初めて見た。奇妙な言い方かもしれないが、夫の病いを得て、規子は極めて日本的な妻になった。自分の仕事も断って、夫の看病に専念し始めたのである。その様子は全く献身的で、私や仲間は彼女を見直したほどだ。純夫をちゃんと個室に入れてやり、こざっぱりとしたパジャマを着せる。食欲のない夫を気づかい、特製の野菜ジュースやかゆをつくった。

「こない親切にされると、俺ってやっぱり死ぬんとちゃうかァ」

規子が席をはずした際に、純夫が私にささやいたことがある。純夫には初期の肝硬変と言っているらしいが、おそらくおおかたのことを気づいているに違いない。

「何言ってんのよ。規子さんはね、あなたが病気になって、あらためて愛を確認したんじゃないの。しばらくは大切にしてもらったら」

純夫はもともと痩せぎすの男だったからそうひどく窶《やつ》れが目立たない。人淋《さび》しい分前よりも多弁になり、私はもうじきこの男があの世に行くなどということが、到底信じられないのだ。

とはいうものの、純夫の病名はいつのまにか編集者たちには伝わっていた。

「亀山さん、鶴田先生、どうもよくないっていうじゃないですか」

私のところへ何本か電話が入ってきた。純夫は人気作家ではないが、一部に根強いファンを持っている。たまに出る単行本をそれこそ心待ちにしている人たちで、かつては規子もそのひとりだった。ある雑誌の編集者は、もしかすると追悼文を書いてもらうかもしれませんから、亀山さんよろしくお願いしますよと、こちらの神経を逆撫《さかな》でするようなことを口にする。何か嫌味を言おうとしたがやはりやめた。もともと編集者というのは、理由が何であれお祭り騒ぎが大好きな種族なのだ。

けれども大森ユリ子が訪ねてきた時、私は大いに愚痴をこぼした。

「ねえ、どっかの雑誌じゃもう追悼記事を書いてさ、後は死亡時刻を入れるだけだっていうじゃないの。私なんかあの男を見舞いに行ってても、死ぬなんてことがまるっきりピンとこなくてさ、涙ひとつこぼれやしない。それなのにマスコミの人たちって、とっくに彼を死人にしちゃってるのよ」

「そうですね。恥ずかしい限りですよ。もう言葉もありません」

ユリ子は唇をゆがめてうなだれた。彼女はもう三十五、六歳という年になるだろうか。まだ彼女が入社して間もない頃、初めて担当した作家が私だったのだ。入社したてといっても、アメリカの大学に留学している彼女は、当時二十五は過ぎていたのではないだろうか。学者の父があちらの大学で教鞭《きょうべん》をとっていたため、ユリ子はずっと南部で暮らし、いったん日本に帰国して大学を卒業した後、また向こうの大学で学んだのだ。このあたりの経過は規子と似ているが、ユリ子の方が努力して日本に馴《な》じもうとするけなげさがあった。

規子がアメリカ風の化粧や洋服を好むのに比べ、ユリ子は意識して清楚に装《よそお》うとしている。髪もパーマをかけず、まっすぐなまま肩までおろしている。日本とアメリカとの狭間《はざま》でおそらく相当の苦悩があったに違いないと私は見ている。

「出版社に勤めるのはずっと私の夢だったんです。アメリカにいる頃、父の書棚にあった私が憧れていた作家たちに会えると思ったらとても嬉《うれ》しかった」

とはいうものの、最初は翻訳要員として使われ、作家を担当させてもらえなかったという。

「常識も何もなくて、とんでもないことを仕出かすと思われていたんじゃないかしら」

たいていの帰国子女というのはクールなところがあるがユリ子も例外ではない。非常に社交的に見せながら、こちらと自分との距離を計っている。私たち普通の日本人のような粘っこいつき合いは苦手のようだ。そのかわりいったん心を許すと、ユーモアがあり誠実だというのも彼らの特徴である。

ユリ子と私とはそうしょっちゅう会うわけではないが、この四、五年で非常に親しい間柄になった。彼女の勤める出版社は文芸書で有名なところで、ユリ子の担当する作家も純文学を書いている者が多い。ミステリーに転向した私などにはもう用がないはずなのに、ユリ子は足繁《あししげ》く私のマンションを訪ねてくる。三年前の夏には一緒に香《ホン》港《コン》を旅したことさえあった。

ちょうど昼どきだったので私は鰻《うなぎ》の出前をふたつ取り、ユリ子は自分の分を財布から出して払った。作家と編集者といっても私たちはそんな仲なのである。私が食後のコーヒーを淹《い》れ、ユリ子が梨《なし》をむいている時だ。

「私、亀山さんにお願いがあるんですけどね」

「何かしら」

などと私は反射的に答えたが、編集者が願いごとといったらひとつしかない。原稿依頼なのだ。しかし彼女の部署でミステリーを出版するわけもなく、おおかた別の編集部から頼まれた短かいエッセイか何かだろう。

「どうしたのよ。早くおっしゃいよ」

「実は私、鶴田さんのお見舞いに伺いたいんですけれど」

彼女の口から鶴田の名前は唐突だった。担当していたと聞いたこともない。しかし編集者だったら、何かの繋《つな》がりがあっても不思議ではないだろう。

とはいうものの私は多少不快な気持ちになった。ユリ子でさえこの機に乗じて、純夫の手記でも取ろうというのだろうか。

「彼に会うのはとてもむずかしいと思うわねえ」

私は言った。

「本人の希望で、とても親しい編集者とも会わないそうよ。あの人は昔から、プライベートなところをきっちりさせていたからね。今あの人の病室へ出入り出来るのは、奥さん以外は私と、あとお兄さんぐらいのものかもしれないわよ」

「だから私、亀山さんにお願いしているんです」

それは怒り声だったから、私は驚いて顔を上げる。ユリ子の目が燃えているのが見えた。

「私、どうしても会いたいんです。ですから、亀山さんにお願いするしか手段がないんです」

「あなた、まさか、そんな……」

「そうなんです。もう五年ぐらいになります」

ユリ子は不貞腐《ふてくさ》れたように口をとがらせた。美人、というのではないが、きめ細かい肌と涼やかな目が年よりもずっと若く見せる。まっすぐな髪でおかっぱ風に伸ばしているのも、日本人形のように見せようという演出なのだ。

「仕事を頼んだことはありません。私がよく行く新宿のバーに、彼もよく来ていたんです。その縁からつき合い始めたんで、今まで誰にも気づかれなかったと思うんです」

普通の女だったらとんだ演歌の一節となるところであるが、ユリ子は淡々と、読んだ本のストーリィを語るように喋る。その様子が誰かに似ていると私は場違いな疑問にとらわれ、そしてすぐに答えが出た。ユリ子と規子はそっくりではないか。

「それにしても……」

私はかすかな皮肉と揶揄《やゆ》を込めてこう言わずにはいられなかった。

「奥さんもそうだけれど、あなたも変わっているわね。あんな貧相なじじむさい男にまいってしまうなんて。あなたぐらい頭がよくって魅力的な女が、どうしてあんなおじさんを好きになるの」

「自分でもよくわかりませんけどね」

こんな時、女が必ず口にする陳腐な言葉をユリ子は発しかけたが、すぐに調子を変えた。

「鶴田さんはとても素敵ですよ。日本の男の人だけが持っているやさしさや含羞《がんしゅう》みたいなものがあるんです。私にはそれがとっても新鮮でした。積極的に近づいていったのは私です。私はご存知のように結婚っていうことにはこだわりませんし、一生このままでもいいと思っていたんです」

ユリ子があまりにもなめらかに喋り出すので私は不安になる。物書きというものは、自分の気持ちを流暢《りゅうちょう》にあからさまに語る人間に対し、いつも奇妙な警戒心を持つのだ。

「でも偶然よねえ……」

久しぶりに、けれども私にとっては十分に馴れ親しんだひと言が出た。

「こんな偶然ってあるかしら。私といちばん親しい編集者のあなたと、いちばん親しい男友だちが恋人同士だなんて。私はそう勘が悪くない方だと思うんだけど、まるっきり気づかなかったわ。噂《うわさ》にもならなかったし」

「会う時は、鶴田さんの新宿の仕事場で会ってました。外に出ると噂になるからって。よく作家の人って、平気で愛人連れまわす人が多いけれど、鶴田さんはそれを嫌っていましたからね。あの部屋、泊まれるようになっていますから、一週間ずっと居続けたこともあります」

まばたきひとつせずに、ユリ子は言った。

「といっても私は鶴田さんを束縛する気もありませんでしたし、私も束縛されたくありませんでした。大人の関係なんて気取っていたんですけれど、やっぱり駄目ですね、癌でもう助からないかもしれないって聞いたら無性に会いたくなったんです。テレビドラマに出てくる馬鹿《ばか》な愛人のように泣き叫んだりしませんから、一度だけでもおめにかかれないでしょうか」

ユリ子の目の縁が赤くなっている。冷静に喋《しゃべ》っているようであるが、精いっぱい気を張っているのだと私は気づいた。

「そりゃね、私も何とかしてあげたいけれど、奥さんがずうっと付き添っているのよ。私があなたと一緒に行ったらきっとへんに思われるわ。編集者は誰ひとりとして来ていないんですもの」

「奥さんが留守の時はないでしょうか」

「むずかしいわねえ……。個室に自分用の簡易ベッドまで持ち込んでいるんだもの。あの人が外出するっていえば、せいぜい売店へ行くぐらいよねえ」

でも何とかしてみるわと私が言うと、よろしくお願いしますとユリ子は頭を下げた。そうすると華奢《きゃしゃ》に見える首から肩のあたりに、むっちりとやわらかい肉がついているのがわかる。私は殉教者のような風貌《ふうぼう》を持つ純夫が、この首をなめたり吸ったりしたのかと思うと、自分でも始末におえないなまめかしい嫌悪《けんお》にとらわれた。

それにしても偶然というのは起こるものだ。

それから二日後、純夫に頼まれていた本を持って私は病院を訪れた。癌の末期患者にはよくあることらしいが、純夫は小康状態を得てとても元気がいい。食欲もあるし、本を読む意欲も出てきたと私に笑顔を向ける。これでたいていの家族は誤解してしまうらしい。このまま奇跡が起こって回復に向かうのではないかと信じてしまうのだ。

規子の方が疲れが出て、目の下がうっすらと黒ずんでいる。けれどもトレードマークのアイラインを忘れないのは立派だった。私は目盛りつきの小便の壺《つぼ》が積まれた、病院の共同便所の鏡に向かい、目のまわりを黒くふちどる規子の姿を思いうかべるといささかぞっとした。

「規子さん、たまには家に帰ったらどうなの。長期戦になりそうだってお医者さんはおっしゃってるんでしょう」

「結構帰ってますよ。そんな日は兄嫁が来てくれるんで交替しているんです」

そのローテーションはどうなっているのだろうか。うまくいけば純夫とユリ子を会わすことが出来るかもしれない。

「家へ帰って、ゆっくりお風呂《ふろ》につかって、前だったらそのまま死んだように眠るんですけれど今は駄目なの。いろんなことを考えてしまって」

黒いラインのために、目が充血しているのがはっきりとわかる。

「私がこうしている間に、夫の愛人がやってきたらどうしようかって思うと、居ても立ってもいられないんです」

「まあ……」

私の驚き方に不自然なところはなかっただろうか。繕うために私は一瞬視線をはずそうとし、すぐに思いとどまった。そんなことをしたら、規子はすぐに気づいてしまうに違いなかった。

「愛人だなんて、そんな……」

「ねえ、知ってたら教えてくださいよ。亀山さんは彼のつき合っていた女の人のこと、ご存知なんじゃありませんか」

規子はまるで私がその相手であるかのように睨《にら》みつけた。妻というのは、こういう場合秘密を握っている人間を、愛人と同じぐらい憎むものだ。

「ねえ、ねえ、規子さん、ちょっと待ってよ」

私は年上の女にふさわしい分別くさい声としぐさをした。

「あなたどうして夫に愛人がいるって考えたりしたの。純《すみ》やんのことは昔から知っているけれど……」

そんな器用な人じゃないわと言いかけて私は絶句する。同人誌時代からの彼の恋愛騒動をいくつか思い出したからだ。なるほど彼が女たちを魅《ひ》きつけなかったかと言うと嘘《うそ》になる。

「奥さんと愛人を両天秤《てんびん》にかけて、うまくやっていくような人じゃないわ。それにあなたたち、とてもうまくいっていたじゃないの」

「うまくいっていたといっても、兄妹っていうか作家と秘書のような関係でね。私たちこの二年間、夫婦生活がまるっきりありませんでしたもの」

私ははからずも三日の間に、妻と愛人の双方から大胆な言葉を聞くことになった。

入院してすぐのことですけれどもと、規子は話し始める。ベッドの下のくず箱から使いきったテレフォンカードを二枚発見したのだという。編集者との連絡といっても大したことはなく、それも規子がしていた。しんみりと話をする相手といったら、ただひとりの肉親である兄であるが、彼は三日に一度は顔を出す。

「しょっちゅう誰かに電話をしているらしいんですよ。それなのに彼が公衆電話の前にいるのを一度も私が見ていないのって不思議でしょう。その頃は私夜になると家に帰っていたんだけど、ある日看護婦さんから注意されたんです。消灯過ぎた後もこっそりベッドを抜け出して奥さんと話しているみたいですけど、もうやめて下さいってね。もちろん私のところに電話なんかかかってきませんよ」

「そうなの」

しんから同情の声が出たのが自分でも不思議だった。

「でも、もしもよ、もし万が一、純やんに愛人がいたとしたらどうするつもりなの。その女の人と今さら喧嘩《けんか》をしたり、取り合いするつもりでもないでしょう」

〝今さら〟という言葉の残酷な響きにどきりとしたが、もう引き返せなかった。

「こんなことを他人の私が言うのもなんだけれども、今は純やんがどうやったらいちばん幸せで快適に過ごせるかっていうことを考えてあげるべきじゃないのかしら」

目をつぶるべきことは目をつぶってと、私は言ったつもりなのであるが、そうした日本的言葉のすり寄り方は相手には通じなかった。

「亀山さんだって一回結婚したことがあるからおわかりでしょうけど、結婚した人の裏切りって私には許せないものなんです。私、純夫が元気な時もきっと責めたと思う。このまま彼が私を裏切ったまま死んでいくとしたら、私は絶対に許せないわ」

「つまり真相を追求したいっていうわけね」

「そういうことになります」

「でも真相がわかったらどうするの。必死で病気と闘って、それでも生き抜こうとしている人を責めて追いつめて、それでどうするつもりなの」

「…………」

「私はあなたたち夫婦のことはわからないけれど、もっと大人になったらどう。ね、この期《ご》に及んでみっともないことしないで頂戴《ちょうだい》。私、純やんの友だちとしてお願いするわ」

「でも、亀山さん」

規子の目から不意に涙がこぼれ落ちる。うろたえたのはこちらの方だ。私は昔から同性の涙にとても弱い。特に気が強い女が不覚にもこぼす涙には降参だ。

「私、阻止したいだけなんです。純夫とその女の人が会うのをやめて欲しい。せめてそのくらい考えることがいけないでしょうか」

「わかったわよ、わかったからもう泣かないで頂戴」

廊下の隅の喫煙室の一角だ。パジャマ姿の老人がすぐそこで煙草《たばこ》をくゆらしている。私は規子の泣いているさまを人に見られまいとしたのだが、彼はこちらに視線をあてることもない。ここは病院なのだ、人の涙は見慣れているし、それを見ないようにするマナーが完成している場所だということを私は忘れていた。

「とにかく何とかするわ。私がきっといい方法を考えてあげるからね」

何という偶然だろう、私はおとといもこれと全く同じ言葉を発しているのだ。

日曜日の朝、私とユリ子は病院のエレベーターを上がっていった。面会時間の始まりよりかなり早い時刻だが構うことはない。私たちは急がなければならなかった。今頃、規子は自由ケ丘にあるマンションのブザーを押している頃だ。

それにしてもユリ子の住む街と、この病院とがほんの三駅しか離れていないのは、なんという偶然だったのだろうか。これほど近くなければ、規子も病院を抜け出して夫の愛人を訪ねようなどと思わなかったに違いない。私は何ひとつ嘘をつかなかった。おととい規子にユリ子の家の住所と地図を渡し、こう言ったのだ。

「一度きちんと話をしてみたらどう。この女の人、私が調べてあげたわ。私も知っている編集者よ」

亀山さんも一緒に行ってという言葉を私はふり払った。

「規子さんらしくないわ。そういう場所には一人で行きなさいよ。私ね、人の地《じ》が出る場所へ行くのは嫌いなのよ。規子さんもそうだけれど、相手の女の人もね、外国暮らしの長い、すごく理性的な人よ。あなたたちだったら、きっと冷静な話が出来るはずだから二人で会いなさい」

そして電話がかかってきたのは、昨日夜遅くなってからだ。

「亀山さん、私、思いきって明日、行ってみます。病室でぐずぐず考えていても暗くなるだけだから。日曜日の朝だったら、相手の人も多分いるでしょう。でも、こういう場合はやっぱり電話をかけてから行くべきなんでしょうかねえ」

いや、そんなことはない。前触れなしで訪問するようにと、私は規子に忠告した。

「愛人の家へ行くのは、やはり不意に行くのがいちばん流儀にかなっているんじゃないかしら。相手はまだ化粧もしていないし、部屋も散らかっている。その場所で強く言うことも出来るでしょう」

そんなシーンを最近私は書いたばかりなので、いいかげんな理屈をつけた。けれども規子はまっすぐに私の言葉を取って、

「なるほど、そうですよね。そういうものかもしれませんね」

としきりに頷《うなず》くのである。規子の受話器を置いた音を確かめた後、私はユリ子の家の電話番号を押した。そして私の企《たくら》みを話したのである。今日留守だとしても、どうせ規子は近いうちにユリ子に会うだろう。けれども絶対にユリ子を夫に会わせはしない。そういう女なのだ。だったらば規子をユリ子のところへ向かわせ、その隙《すき》に純夫とユリ子を会わせるしかなかった。

病室の扉を押す。あおむけになった純夫は人の気配で目を開けた。私の姿を見て何か言いかけたが、すぐにユリ子を発見し唇の動きが止まった。

「よお」

これは照れた時、彼がよく発する言葉なのだ。

「なんや、君、来てくれたんか。忙しいのに悪かったなあ」

布団《ふとん》をずらして起きあがろうとした。こういう時もユリ子は手を貸すでもない。淋《さび》し気な微笑をうかべたまま立ちつくしている。

「来てくれなんでもよかったのに。僕はまだ死なへんつもりやからなァ」

「すぐに退院するとしても、一度はお見舞いに来るつもりだったの。そうしなきゃ私の気がすまないから」

いかにも素っ気ない二人のやりとりがあったが、その言葉の端々に体を重ね合った男女の狎《な》れ合いを確かに感じ、私は顔をそむけた。

「私、外で煙草吸ってくるから。ま、二人でゆっくりお話ししててよ」

廊下の片隅、ガムテープで破れを繕っているソファをわざわざ選んで腰をおろし、私はマイルドセブンに火をつけた。私は二十年前のことを思い出している。純夫にも言っていない本当の話だ。

春子に初めて会った時、私は有紀子の友人だと名乗りはしなかった。ごく巧妙に近づき、時々はお互いの部屋を行き来するぐらいの仲になった。そしてある夜、たまたま私のところへ遊びに来ていた有紀子を、春子の部屋へ連れ出したのだ。青ざめた顔の春子と、こわばった表情の有紀子の前で私は叫んだ。

「えー、何ていう偶然なのォ。春子さんがあの春子さんだなんて」

いま病室で繰り拡げられている男と女の邂逅《かいこう》はすべて偶然がなせる業ではない。今、ユリ子の味わっている悲哀はところどころ私の手が介在している。そのことに私は喜びを見出《みいだ》す人間なのだ。決して主人公になれない人間はこのようにして暗い楽しみを手に入れる。若い時から私のその癖は消えていない。

けれども仕方ないことなのだ。長いこと自分さえ気づかないふりをしていた、もうじき死んでいく男への愛を、こうでもしなければどうやってなだめられるというのだろう。

# 眠れない

明日は早めに出ると言って、夫が寝室に入っていったのと、居間の電話が鳴ったのとはほぼ同時だった。夜遅い電話をとる時、誰もがそうするように私は壁時計を眺めた。十二時を五分過ぎている。美和子からに違いない。最近テニスクラブで知り合い、急速に仲よくなった美和子は広告代理店に勤めている。私にはよくわからないが、ディレクターといって責任ある仕事をしているそうだ。彼女は夜帰宅すると、よく私に電話をかけてくる。とりとめもない会社の話や、年下の恋人の愚痴などを長々と話す。夫の帰りが遅い時は、私も興にのって相手をしてやるのだが、困るのは彼が家に居る時だ。夫は美和子のことをとても嫌っている。一度も会ったことのない人間のことをどうしてあれほど悪《あ》しざまに言うことが出来るだろうかと思うほどだ。マスコミの仕事をしていて、しかも離婚歴のある女など、夫にとって理解し難いものなのだろう。

「だいたいな、まっとうな勤め人のうちに、こんな時間電話をしてくるなんて普通じゃないよ」

　最後には必ずこうつけ加える。

　夫が寝室に入っていった後でよかったと私は思った。私はそうおとなしい妻というわけではないが、男の機嫌がいったんこじれるとどれほどめんどうかということは充分に知っていた。だいいち不機嫌な夫の傍《そば》で、女友だちと電話をしても楽しいはずはない。

　けれども今なら美和子の相手になってやることは出来る。

「もしもし」

　私はほんの少し相手を咎《とが》めるために語尾を強めた。美和子は愉快な気のいい女なのであるが、多少図にのるきらいがある。夜の十二時過ぎの電話は、いくら何でも遅過ぎるということをはっきりと示した方がいい。

「もしもし」

　すんでのところで私は受話器を乱暴に置くところであった。向こう側からはこちらを窺《うかが》う沈黙が伝わってくる。何度も悩ませられたことのある悪戯《いたずら》電話だと思ったのだ。

「俺だよ……。笠井《かさい》だけど」

その時の犯人よりも、低く暗い声がして、それと正反対に私はあーら、あらとけたたましく喉《のど》をのけぞらせた。電話をかけてきたのは、二年前に別れた私の元の恋人である。本当に意外だった。彼が私に電話をかけてくるとは思ってもみなかったのだ。他の男と結婚すると告げた時も彼は冷静だったし、それをとうに予感していたようなことさえ口にした。プライドの高い男なのだ。それより何より彼は私に対してどれほどの執着があったというのだろう。かなり鈍感で、自惚《うぬぼ》れの強い女でも、五年間もひとりの男とつき合っていけばすべてのことが見えるものだ。私は彼のまわりにいる女たちに傷つき、そのことを否定しない彼にその一千倍ぐらい傷ついたものだ。つき合い始めた最初の頃は、取り繕うぐらいの誠意を見せていた男が、やがて怠惰に女との残滓《ざんし》を見せるようになった。つまり長いつきあいの間に、私はいつしか男になめられていたのだ。その結論を下した時、私はそれほどみじめではなかった。その時は既に夫が登場していたからだ。私と彼との別れは、女友だちから賞賛されるほど、後腐れのないすっきりしたものではなかったか。私はフィアンセを確保した後、一方でつれない男に引導を渡すという理想のかたちを果たしたのである。

あまりにもうまくいった別れは、私に当然淋《さび》しさをもたらしたが、それに続く結婚準備やウェディングドレスといったものにすぐかき消された。どこにでもころがっているよくある話だ。私の友だちもたいていこんなことを経験している。そしてまれに、ごく低い確率で、綺麗《きれい》に別れたはずの男から電話がかかってくる。けれども私はその一人ではないと思っていた。いまこの電話を受け取るまでは、だ。

さあ、どうやって対処しよう。私は舌の先で上唇をなめた。さっき夕飯に食べた里芋の煮付けの甘さがまだ残っている。とりあえず私は家事もきちんとこなす貞淑な人妻なのだ。そのことを相手にきちんと知らせておく必要がある。だから驚いてもいけないし、迷惑そうにしてもいけない。私は明るい声で続けた。

「久しぶりね。嬉《うれ》しいわ、思い出してくれるなんて」

「違うよ、そんなんじゃないよ」

男は獣のようにうなる。

「思い出したんじゃないよ。毎日考えてたんだよ」

私がかつて熱望していたものが、五年ほど遅れて突然目の前につき出されたのだ。その時間のずれに私は当惑していいはずなのにどうしたことだろう。純粋な混ざりっ気なしの歓《よろこ》びに、私の体は射られたようになった。次の言葉を探すことさえ出来ないほどにだ。

「いつもいつもお前のことを考えてんだよ。どうしようもないよ。俺、何度も電話をしかけてそしてやめてんだ」

男はひどく酔っていて、それは減点の材料にすべきなのかどうかと私は迷う。かつて泥酔《でいすい》した男の姿をあれほど何度も見ていたのに、私はその判断が出来ないのだ。

「いま、どこにいるの」

「新宿だよ、新宿」

男の告げた店の名が、いちどきにいくつもの記憶をつれてきた。多分道順も、路地の入り方もしっかりと私の中にあるはずだ。私は大急ぎで口紅をつけ、コートを羽織ってタクシーに乗る自分の姿を想像した。けれどもそんなことはテレビドラマの中でだけ起こるはずだ。私には洗わなければいけない皿があり、パジャマに着替えて横たわらなくてはならないベッドがあった。

「とにかくあんまり酔っぱらってない時に電話して頂戴《ちょうだい》よ。ねっ」

私は多分下宿のおばさんのような声を出したと思う。にこやかに諭《さと》す声だ。

「それからもうちょっと早い時間にね」

「そんなこと関係ねえだろ」

彼は怒鳴り、私は昔、そんな風な声を何度聞きたかったことだろうかと思い出す。

彼は欲望が昂《たか》まると駄々っ子のようになるタイプの男であった。

「近いうちに会ってくれよ。そのくらいしてくれてもいいだろう」

「そうね、考えとくわ」

「ちえっ、気取るんじゃないよ。うまくやってんのかよ、亭主と」

「そりゃあ、もう」

「ふうーん、だけどそんなことオレと関係ないよ。とにかく会ってくれよ、近いうちにさ。いいかい、オレの新しい携帯の番号言っとくぜ。〇九〇二……ちゃんと聞いてる？」

私の指は空《くう》をもがく。ひとつの賭《か》けをした。もし手近にメモするものをつかんだら彼の電話番号を書き取る。もし見つからなかったらそのふりだけして復唱する。時計をどかしてみた。電話を置いた飾り棚の上には、一枚の紙片さえ発見することが出来なかった。

「わかった、七三一九ね……」

ところが最後の数字を発音したとたん、私はとり返しのつかない思いに襲われる。舌にのせた数字は私の脳味噌《のうみそ》のどこにもひっかかることなく、またたく間に消えてしまったのだ。

「ちょっと待ってて！」

私は叫び、飾り棚の引き出しを開ける。そこには硬い表紙の電話帳と、クリーニング屋の控えがあるだけだ。苛立《いらだ》った指はもうひとつ下の引き出しにかかる。雑誌から切り抜いた料理記事が詰め込んであった。私は白い余白の多い茄子《なす》のグラタンの切り抜きをつまみ上げた。けれどもボールペンも鉛筆もない。ない、ない、ない、ない。

「悪いけど、もうちょっと待ってて！」

私は受話器を置き、テレビの前まで走った。ビデオのラベルを書くためのサインペンを傍に置いていたはずだ。それはたやすく見つかり、私は安堵《あんど》のため息をもらす。そしてまた電話機の前に戻った時、私はいくらか息をはずませていたはずだ。

「ごめんなさい、もう一度言って……」

「なんだ、メモしてなかったのか」

男はあきらかに不機嫌そうだ。私が謝罪し、彼がなじる。私たちはいつのまにか二年前の力関係に陥っていた。それは私にとってとてもよく体になじんだ洋服のようなものだ。とうに捨ててしまったはずなのに、その着心地のよさや、気に入った衿《えり》の感じはまだ記憶にしっかりとあった。

「電話をくれよな。いつでもいいから」

電話番号をもう一度告げながら男は既に厚かましさを滲《にじ》ませている。さっきまで懇《こん》願《がん》といってもいいほどの哀《かな》しさがあったのが嘘《うそ》のようだ。

「そんなことわからないわ。私だって忙しいもの……」

「だって君は仕事もやめて専業主婦になったんだろ。暇で暇で仕方ないはずだよ」

「そんなことないわ。毎日しなきゃいけないことが山のようにあるのよ」

「とにかく電話くれよ。頼むよ。うちの番号も変わってないから」

「わからないわ。だいいち女の人が出たりすると嫌だもの」

「そんなもん、居ないって言っただろ」

「今はね。でも来週になったらわからないもの」

「来週も居ない。これから先もずっと居ない」

「嘘ばっかり言ってるわ」

私は気づく。これが痴話喧嘩《げんか》でなくて何だろう。甘やかにお互いを責めていく小さな戦いを、夫が眠る部屋の隣りでしてもいいものだろうかと私が問い、電話ぐらい構わないじゃないのと私が答えている。

「電話くれ」

男はあえぐように言った。

「来週も、その先も君のことばっかり考えてるはずだから」

そして電話は切れた。これは勝利というものである。結婚した私に、男がここまでの未練とめめしさを見せたのだ。幸福で華やかな女友だちには時折訪れていた勝利を私も手にしたのだ。私はこれで満足すべきだと思う。が、私の目の前には、電話番号が記された茄子《なす》のグラタンのレシピがある。私はそれを元の引き出しに戻した。何も破ることはない。ここにこれがあるとしても、私は全く何も存在しないかのように振るまうことが出来るはずだ。自信があった。

私は台所へ行き、さっき夫が食べた夕食の皿を洗った。そしてガスレンジを磨き、布巾《ふきん》をすすいで窓辺に干した。

そして今度は洗面所で顔を洗い、歯を磨いた。私は電動歯ブラシを使っている。ぼんやりと鏡の前に立ち、軽い震動に身を任すのが私は好きだ。その後でゆるく編み上げていた髪をほどき、パジャマに着替えると私は少女のように見える。化粧をすべて落とした後でも、私の唇はまだ十分に赤いことを確認した。

寝室に入ると、夫は私のベッドの側に背を向け軽い寝息をたてていた。おそらく彼も気づいていないことだろうけれど、結婚一年たった頃から、彼は壁の方に向いて眠るようになっている。

「おやすみなさい……」

私は必ず声をかけるのだが、それに応《こた》えることはほとんどない。背を向けるようになったのと時を同じくして、夫は寝つきもとてもよくなっているのだ。

「ねえ、もう本当に寝ているの」

私は小さな声で呼びかけてみる。ひとつ想像していたことがあった。寝室に行ったはずの夫は、ドアに耳を押しあて、私の会話を盗み聞きしているのではないか。そしてすべてを悟り、私をなじるのではないか。そうしたら私は泣いて謝ろう。

「確かに昔つき合っていた人よ。とても酔っ払ってかけてきたから電話を切るに切れなかったのよ」

けれども夫の薄い耳たぶは、心地よい睡眠を証明するかのようにかすかに上下している。夫が真夜中の電話を気にとめることなく、これほど安逸な睡眠をむさぼっていることに私は腹を立てた。昔の恋人からでなく、これが聴覚による暴行魔だったらどうするのだ。夫は私を助けてはくれない。夫は何らの危惧《きぐ》を感じず、私がいつものように皿を洗い、ベッドにもぐり込んでくると信じている。何という怠慢さだろうか。

だから私はひとつのことを許した。それは夫が眠る傍で、昔の男のことを思い浮かべることである。

枕元《まくらもと》のスタンドを消し、バラの模様のシーツを顔まで引き上げた。準備はいい。

「電話くれ」

男の最後の言葉が私はいちばん気に入っている。彼は命令を下す時がとてもいいのだ。そして私は昔、何十回、何百回となく闇《やみ》の中で行なわれた命令を思い出す。息が荒くなった。

いくら若く恋人同士だからといって、どうしてあんなことが出来たのだろうか。思い出の中で、男も私も限りなく放恣《ほうし》になる。全くどうしてあんなことが出来たのだろうか。もし今私があのような行為の片鱗《へんりん》を見せたら、夫は眉《まゆ》をひそめるに違いない。今の私にとって、性はゆるやかな規則性を持つものだ。例えば汚れた食器は洗うように、朝食に野菜ジュースを出すように、決まって土曜日の夜それは行なわれる。

私はそれを不満に思っているわけではない。あの闇の中でのいくつかの冒険、いくつかの不道徳は既に私が手放したものだ。もう得られることが出来ないものを嘆くほど今の私は不幸ではなかった。

不幸ではないけれど、夫はしばしば眠る。例えばこんな夜、私が揺り起こしたいような夜も夫はぐっすりと眠っている。だから私は思いをめぐらす。もうとうに手放したと考えていたものは、実はたやすく取り戻すことが出来るのだ。

明日の朝、引き出しを開け、茄子のグラタンの切り抜きをつまみ上げてもいいのではないだろうか。すぐには電話をしない。男が焦《じ》れ、諦《あきら》めかけた頃に番号を押す。彼はきっと会ってくれと言うだろう。会うぐらいはいい。一緒に酒を飲む。途中で彼は苛立ってくるだろう。私はもう他の男のものなのだ。私は胸の開いた服を着る。人にも言われ、自分でも気づいていることだが、結婚してから私は胸元に薄く白い脂肪がついた。二十八から九にかけて、三十前の人妻だけが持つ輝やく脂肪だ。それを別れた男にさんざん見せびらかす。男は苛立ちのあまり怒り出すだろう。自分を裏切ったと言い出すだろう。そして私はにこやかに応える。

「裏切ったのはあなたの方よ」

男は私に許しを乞《こ》う。私は許してもいいと思う。そして男は乱暴なやり方で私を誘うだろう。私は目を見開き、そして怒ってみせる。

「私はもう結婚してるのよ。それもとっても幸せな結婚をよ。どうしてそんなことが出来ると思うの」

男は必死になる。昔あれほど私がたやすく与えていたものを、一度だけでもいいからと跪《ひざまず》かんばかりだ。そして私は男の哀願に負ける……。

男のアパートは以前のままだという。私が無理やり連れていかれる部屋は、CDと本で埋まりそうな一DKだ。男はすべての私の手順を知っている。どこをどう押せば、私から力が抜けていくかも知っている。男の代わりに今度は私が命令を下す番だ。もう経験することがないと諦めていたさまざまなかたち、そしてもう聞くことがないと思っていたいくつかの卑猥《ひわい》な言葉を男に吐いてもらう。

なんて素敵なんだろう。私は恥ずかしいほど大きく鼻を鳴らした。そしてそれはとてもたやすく手に入る。明日茄子のグラタンをつくるつもりで引き出しを開ければいいのだ。

夫を裏切ることになるが、夫はいつもぐっすりと眠る。妻は皿を洗うこととグラタンをつくることしか望んでいないと信じているから、こんな風に安らかに眠るのだ。夫に言わなければいい。男と会い男のアパートへ行くことなど簡単だ。美和子か誰かの名前を出し、女友だちのところへ遊びに行ったと言えばいいのだ。他の男に抱かれた汗を流し、他の男によってつけられた歯型をパジャマで隠し、私は何くわぬ顔でベッドにもぐり込む。けれどもきっと夫は隣りで、すやすやと寝入っているはずだ。眠る夫が何か気づくはずはない。現に夫は、私が昔の男と電話で喋《しゃべ》り、こうして夢想していることさえ気づかないではないか。

いつか私はあの引き出しを開けるような気がする。そして三日後、昔の男の目の前で大きく脚を開いている自分の姿が見える。

「ああ、どうしたらいいんだろう」

もしかすると犯すかもしれない罪の大きさに私はおののく。本当にどうしたらいいのだろう。明日の朝、私は引き出しを開けるのか。

とにかく明日の朝、光の中でもう一度考えよう。闇の中で結論を下してはいけない。

けれども眠れない。この夜と私の迷いは永遠に続くかのようであった。

# 歌舞伎《かぶき》役者

幕が下りた。芝居の余韻はいたるところに残っていて、座席の女たちはいつもより緩慢な動作で、コートを羽織ったりショールを巻きつけている。それほど今夜の芝居はよかった。近松の心中ものであるが、その主役の男が抜群に美しかったのである。青白い化粧の額に、はらりと一筋かかった髪の記憶が、まだ女たちを無口にしているようだ。

演じた俳優はAといって、四十を出たか出ないかというところであろう。人気俳優というにはやや地味な存在で、どちらかというと中堅のひとりといった方がぴったりとくる。今月、どういうわけか大きな役をもらっていた。彼はそれに応《こた》えたことになる。いくら人気があるからといって、あのどんぐりまなこのBや、若いくせにすっかり肥満しているCでは、女と死んでいく男のあの哀《かな》しみと美しさを表現できなかったろう。

「本当になんていい男なんだろう。久しぶりに芝居を見て興奮してしまった」

劇場の真向いにあるホテルのバーで、花子は水割りをちゅっとすすりながら言った。

「本当、だから歌舞伎って面白いわよねえ。どうっていうことのない役者だと思っていたのに、一年ぐらい見ないとあっという間に変わってしまうんだから」

相槌《あいづち》をうつのは蝶子《ちょうこ》である。彼女はワインを飲んでいる。なんでも知り合いの医者に、酒の中でワインだけは肌を美しくする効用があると教わったからだという。だからといって、店のソファに腰をおろすなり、たて続けにグラスワインを三杯も飲むことはなかったであろう。早くも彼女は酔い始めている。言葉が舌ったらずになる。おそらく若い頃、男の誰かにそれが可愛《かわい》いと言われたことがあるのだろう。意識してそれをするから、多少芝居がかって聞こえる。

「私、今日は本当にぞくぞくってきちゃったわ。あの心中シーンでさ、この男に抱かれて死にたいって心底思ったもの」

「惜しかったわねえ」

花子が薄く笑いかけた。

「今は無理だけど、もうちょっと前だったら〝役者買い〟っていうのが出来たのにねえ。お茶屋に気に入りの役者を呼んで、好き放題のことをするのは女の楽しみだったんだもの。あんたぐらいお金を持ってたら、わけないことだったわよ」

「本当。もうちょっと昔に生まれてくればよかったんだわ」

蝶子は、大げさに笑い声をたてた。そして私たち女三人の話題は、男を買ったことがあるか、ということに移っていった。

「もう九年前のことになるけれど……」

花子が語り始めた。

タイのプーケット島というところに行ったの。今でこそ、日本の女が男を買いに来るんで有名だけど、あの頃は私、そんなこと知らなかったのよ。バンコックに仕事で行った帰り、いいところだっていうんで寄ってみたの。

結構いいホテルのセミスイートを頼んだわ。あんたたちも知ってるとおり、私は狭い部屋っていうのは我慢出来ないのよ。息が詰まりそうになるの。特にリゾート地ならなおさらよね。

その部屋はとてもよかった。海側に面していたし、ダブルベッドも広く清潔だった。おまけに部屋に案内してくれたボーイが、とても綺麗《きれい》な男の子だったの。十五、六といったところかしら。タイの人独得のすべすべした肌に、ひと懐《なつ》こい丸い目があった。私はすっかりいい気分になって、チップをはずんであげたの。

彼はにっこり笑って、合掌したわ。タイ人がよくやるあれよ。私はますますしんみりとした気持ちになっちゃって。こんな中学生みたいな子どもが働いてるなんてけなげだなあと思った。それからもう一回サンキューって言ったの。

ところがね、その男の子は微笑《ほほえ》んだまま、そこから立ち去ろうとしないの。じいっと私を見つめているの。私はもう一回、サンキューと言ったわ。そうしたら彼はけげんそうな顔になった。だけどやっぱり帰ろうとしない。私は何が何だかわからなくて、今度は強い調子で、サンキューと言った。そうしたらやっと彼はドアの方へ向いたの。後からタイに詳しい友人に聞いてわかったわ。中年の女が一人でやってきて、ダブルの部屋をとる。そして若いボーイにチップをはずんだら、それはもう今夜ここに来いって命じてることなんだって。あの男の子は、何時に来たらいいのか聞きたくって、ずっと待ってたんだって。

私たち三人の女は、いっせいに笑った。隣りの席の白人の男が、一瞬咎《とが》めるようにこちらを見た。私たちは声を潜める。

「ねえ、女が男を買って、それで楽しいかしら。本当に快楽を得られるものかしらね。私は信じられないけど」

「そりゃあ、そうでしょう」

蝶子が頷《うなず》く。

「この頃の女の子たちをご覧なさいよ。タイやフィリピンへ行って、男を買ってるじゃないの。もっとも、彼女たちには買うっていう意識がないかもしれない。貧しい男の子たちにお小遣いをやっているだけと思ってるでしょうね」

「私は男にお金を渡す、っていうだけで、自分の中の女としての価値や、エロティックな部分が削り取られていくような気がするわ。その反対は……うーん、構わないけれど」

今度は蝶子が語り始めた。

今から十二年前のことよ。私はそれほど若くはないけれど、年とってもいなかった。つまり女盛りって言われてる頃ね。離婚したばっかりだったから、面白いように男が寄ってきたわ。あなたたちも一回結婚してたら、離婚っていうのが経験出来たのに、残念だったわね。

あれはなかなかのものよ。もちろんつらくて悲しいことなんだけどね、その反面どこか解き放たれた気分のよさみたいなものがある。それからやたら男の人が欲しくなるの。別れた夫からはあまり与えてもらえなかったセックスを楽しもうっていう思いと、私はまだ女としていける方だろうかって確かめたい思いとが、ごっちゃまぜになるのよ。

そんな時、ホテルで男と知り合ったわ。そう、ここみたいなホテルのバー。待ち合わせしていた男がなかなか来なくて、いらついていたら、すぐに声をかけてきた男がいる。

彼の身なりも態度も悪くなかったし、私と待ち合わせしていた男からは、もうちょっと遅くなるっていう電話がかかってきた。それでその男と一緒に何杯か飲んでいるうちに、彼の部屋に誘われたの。

今までそんなことしたことなかった。もちろん男とはいっぱい寝たけれど、みんな身元のわかってる男。いきずりの名前も知らない男とは初めてだった。だけどどうってことなかったわね。セックスに変わりはないわ。名前を知っていても知らなくても、することは同じよね。そしてそれが終った後、男が私に三枚の一万円札を差し出したの。こんな時間、送っていくのが本当だろうが、そうもしていられないからタクシー代にって。

私は拒否したわ。私はそんな女じゃありませんって何度も言った。そうしたら彼はわかってる、わかってるって、無理やりお札を掌《てのひら》の中に入れた。あ、これ、映画の一シーンで見たことがあるとぼんやり考えてたら、いつのまにかタクシーに乗ってた。

うちに帰ってから、わんわん泣きじゃくったわ。

離婚したことのみじめさ、お金を受け取ったことの屈辱感が、わーって押し寄せてきた。それでね、お札を破ろうと思ったんだけど、やっぱりやめた。あの頃三万円っていうと大金だったものね。そのうち、私は三万円は貰《もら》えるんだってふと思った。これから先、仕事をやめても、街に出ていけば三万円貰えるんだ。そうだ、いつでも娼《しょう》婦《ふ》になれるんだって考えたら、また涙が出たわ。泣いて泣いて、顔がぐちゃぐちゃになっていくうちに、私はなんだかへんにエロティックな気分になっていった。さっき寝た男の唇や指の感触が思い出されてきたの。それで……

「それで」

と花子が尋ねた。

「さっきの男に電話をしたわ。部屋番号を憶《おぼ》えていたから。もう一度会いたいっていったの。そして次に会った時は、もちろんタダよ。そうしたら私の気分もどこか折り合いがついたし、男の方も赴任先の外国へ帰っていったの」

「ふふ、あんたも若い頃は殊勝なことがあったのねぇ」

花子がくっくっと身をよじって笑ったのと、彼女の携帯電話が鳴ったのとは同時であった。彼女はそれを持ってしばらく外に出ていった。

「もう車が下に来てるって」

花子は勝ち誇ったように私に告げた。

「悪いけど先に帰らせてもらうわ」

彼女の後ろ姿を見送りながら、蝶子が私にささやく。

「男を金で買うなんて信じられない、なんてよく言うわ。自分は仕事と義理で、若い男をがんじがらめにしているじゃないの。可哀想《かわいそう》に、恋人っていったって運転手替わりにこき使われているのよ」

私はその声をもう聞いてはいない。カウンターの向こう側に、若い男が二人座っている。えり足の綺麗さと眉《まゆ》の様子で、芝居の若い者だとすぐにわかる。彼らにさっきの主演俳優の横顔が重なる。なんとか近づけないものだろうか……。彼らは小遣いに困っているとよく聞くが……

# 口紅

五年前、泣きじゃくる娘に男はこう言った。

「離れて暮らしていても、パパは君のことをずっと見ているからね。君の大切な時にはきっと側《そば》に居るよ」

「大切な時ってどういう時なの」

娘は目も鼻も涙でぐしょ濡《ぬ》れにしながら尋ねた。

「例えば君が初めてハイヒールを履いて誰かに見せたい時……。いや、そんな時はもう恋人がいるだろう。じゃあ、口紅を買う時、初めて口紅を買う時はパパにプレゼントさせておくれ。そしてその後、二人でデイトをしよう」

この感傷的な約束を男は忘れたわけではない。けれども週に一度は会社に電話をかけてきていた娘が、やがて全く連絡してこなくなり、中学に進んだ頃にはクリスマスカードさえ寄こさなくなった。おそらく彼女は、男の知らないうちに娘になり、そしていつか冷やかな目でこちらを眺める、見知らぬ女になるのだろう。そんなぼんやりとした覚悟を決めた頃、電話はかかってきたのだった。

「修学旅行に行くの」

娘は早口で言った。

「だから口紅を買わなきゃならないわ」

土曜日の午後、男は娘と会うことになった。娘が指定してきたファッションビルの場所が男はわからず、もう一度地下鉄の駅にもぐり地図を確かめ、反対側の階段を上がった。するとそこがビルの入口で、ガラスの扉の前に娘は立っていた。

背はいくらか伸びていたが、娘は最後に会った時とそう変わってはいなかった。学校帰りだったから制服の上に灰色のカーディガンを羽織り、丸く小さめな眼鏡をかけている。口のまわりに、たった今芽ばえたばかりのような、白くいきいきとした脂肪の面皰《にきび》がいくつもある。娘がとても子どもじみていて、あまり美しくないことに男は落胆し、そして同時に安堵《あんど》していた。

娘の母親の多くの不幸（と男は思う）の原因であった、単純でわかりやすい美貌《びぼう》を娘が持つことを男は密《ひそ》かに怖れていたのかもしれない。

男は娘にまず、長い間の無沙汰《ぶさた》のいくつかの言いわけをした。その中で最も説得力を持ち、かつ娘を傷つけないものは、彼女の受験勉強のためというものである。

「君のママから合格するまで会わないでくれって言われていたんだよ」

そして娘の制服に初めて気づいたふりをした。

「だけど君はえらいよねぇ。あそこの中等部は外からなかなか入れない。大変な競争率だっていうじゃないか、本当にすごいよ」

娘は小さな声でたいしたことはないわ、と男を制した。男はとたんに自分の饒舌《じょうぜつ》が恥ずかしくなりそれきり黙る。女の機嫌をとることには慣れているつもりだったが、これほど手強《てごわ》く気むずかしい相手はいなかった。

「さて、どこに行こうか」

男はあたりを見渡す。あたりは春めいた服装の若い男女ばかりで、自分がひどく場違いな気がした。

「口紅を買うんだったら、デパートの化粧品売場だろう。あそこだったら何でも揃《そろ》うんだろ」

「あんなとこへ行くのは、おばさんばっかり」

娘の面皰におおわれた薄い唇から、短かく強さに満ちた言葉が漏れ、それが別れた妻にそっくりなことに男は驚く。

「ここがね、いちばん品物があるの。だからここで買ってちょうだい」

娘はビルの扉を自分で開け、ずんずん歩き始めた。エレベーターの前が化粧品売場らしい。テレビのCMでよく見かける大きなメーカーのものもあったが、通路沿いに、男から見ればいささかちゃちな口紅だの、アイシャドウなどが菓子のように並べられている。娘と同じように制服姿の少女たちが、真剣な表情で口紅のケースをまわしていた。中から顔を出す紅の色をひとつひとつ確かめ、それをじっと凝視する。

「あの中から選ぶわ」

娘は言い、少女たちの群れの中に入っていった。青と赤のサインペンで「春の新色一本八百円」とカードに書かれている。男は娘のつつましさに胸をうたれた。それがたとえようもないほど清潔でいじらしいものに思われたのだ。

男は棚から少し離れた場所に立ち、もう一緒に住むことの出来ない娘を眺めた。そこには五人の少女がいたが、男は自分の娘の髪がいちばん美しいことを発見した。どのようにしたら、あれほど美しい艶《つや》が出るのだろうか。やや栗色《くりいろ》がかって絹のような光沢がある髪は、男も娘の母親も持っていないものであった。

それに膝小僧《ひざこぞう》の綺麗《きれい》さといったらどうだ。この季節になると、少女たちは早々と夕イツを脱ぎ捨て、素足にソックスになる。短かめのスカートの膝の裏側は、まだ冷たい空気に触れ、白々と乾いてくるものなのであるが、男の娘のそれはやわらかな張りを持っている。黒ずんだりもしていない。将来、美しい脚になることを約束されているような、まっすぐな膝小僧だ。

その時、娘はこちらを振り向いた。それはあまりにも急だったので、男は見咎《みとが》められたのではないかとうろたえる。

「これにする」

手にはピンク色のプラスチックケースに入った口紅が握られている。

「一本でいいのか。欲しければ他のものを何だって買ってもいいんだぞ」

「いいの、うちの学校お化粧禁止だし。でも修学旅行の時は、みんな薄うく口紅塗るみたい。その時は先生たちも何も言わないんだって」

娘の表情がやっとやわらぎ、男は大層嬉《うれ》しくなる。その口紅を受け取り、レジのところまで進んだ。レジには若い娘がいて、男の娘よりもはるかにぶっきら棒に、消費税込みの金額を告げた。そして口紅を小さな紙の袋に入れて寄こした。娘への記念すべき贈り物が、このように粗末な包装しかされないことにがっかりした男は、娘に食事を提案した。

「銀座にでも行こうか。少し早いけれど何か食べて、それから映画にでも行こう」

「私、夕飯は食べないの。太るの、嫌だから」

娘はまた冷たく言い放ち、男はひるむのではないと自分に言い聞かせる。

「それならお茶にしよう。そのくらいだったらいいだろう。太りたくなければ紅茶に砂糖を入れなければいい」

娘は無表情に男に頷《うなず》いて、ビルの中のティールームに入った。男が珈琲《コーヒー》を頼むと娘もそれにするという。

「珈琲なんか飲むのか」

毎朝、ホットミルクを母親に冷ましてもらっていた娘の姿しか男には頭になかったのだ。男はそこでいくつかの質問をした。珈琲以外、君が新しく身につけたものは何なのか。何が新しく好きになったのか。

しかし娘はその都度、最小限の返事しかせず、目の前の砂糖壺《つぼ》をいじったりする。陽が翳《かげ》ってきた。男は勘定書きを持って立ち上がる。そしてレジの前に立った。

「じゃまたいつでも電話をしてくれ。メールアドレスも知ってたよな……」

振り返った男は目を見張る。いったいいつの間につけたのか、娘の唇は薄桃に彩《いろど》られている。相変わらず意固地に結ばれ、さっきよりも不機嫌そうな顔つきで、娘はふんと鼻を鳴らした。けれどもその唇には確かに口紅がひかれていた。

# 女の名前

どれほど深刻に思える男女の仲にも、必ず笑いの種子が潜んでいるものである。女の名前が、さまざまな悲喜劇を巻き起こす例も多い。愛人の名が、偶然にも男の妻、あるいは娘の名前と同じためにどうしても姓で呼んでしまう。それが女の怒りを買って、別れの原因になってしまったというのである。

沢田桃子は、幼ない頃《ころ》から自分の名前が大層気に入っていた。女の子らしい可愛《かわい》い名前をと、両親がさんざん考えてつけてくれた名前だ。出会った人たちはすぐに「桃ちゃん」と呼んでくれたし、親しい友人たちは「モモ」と呼び捨てにする。同じ名前の人気タレントがいて、彼女が大層美少女だったということにも、桃子は満足しているのである。

二十八歳となった今では、名前を呼ばれることに多少の気恥ずかしさがあるというものの、「桃ちゃん」と声をかけられると、自分の細胞のひとつひとつが、〝ハイッ〟

と返事のために身構えるのがわかる。思えば年齢よりもずっと若く張った皮膚も、くるっと動く瞳《ひとみ》も、この「桃ちゃん」という名前がつくり出してくれたのではないだろうか。もし文子とか、春江などという地味な名前だったら、自分の性格は違ってきたのではないだろうかと考えることもある。

これほど気に入った名前なのに、神さまは何という悪戯《いたずら》をなさるのだろうか。恋人の母親に、同じ名前をつけられたのである。最初に名刺交換をした時に、井上圭介は言ったものだ。

「沢田さんって、うちのお袋と同じ名前なんですよ」

「まあ、そうですか。お母さま、お幾《いく》つでらっしゃいます」

「おととし還暦だったから、六十二歳じゃないでしょうかね。あの年で桃子なんて、ものすごくハイカラな名前ですよ」

「そうでしょうね。でも桃子っていうのは、年をとったらとったで、しっくりくる名前かもしれませんよ」

そんな会話を交したのをぼんやりと記憶している。普通だったら、六十の婆《ばあ》さんと自分が同じ名前だということに不快感を持っていいのに、全くそんなことを感じなかったのは、圭介が桃子の好みの顔立ちをしていたせいであろう。桃子は顔が角張っていて、髭《ひげ》の濃い男が好きである。今風のつるりとし、全く何のひっかかりもないような男にはあまり興味を持てない。

だから圭介が結婚していて、既に二人の子どもの父親だと聞いても、仕方ないかなあと思ったりもする。おととしあたりから、桃子はこの「仕方ないかなあ」という言葉をよくつぶやくようになっている。これには二つの意味があって、ひとつは、もう嫁《い》き遅れ始めているのだから、少々寄り道をしても仕方ないかという思い。もうひとつは、いずれ結婚するのだから、それまで好みとは違う男とぼんやりと恋愛するくらいなら、妻子持ちでも趣味に合った男とつき合うのも仕方ないという思いである。

圭介とはこんな風にしてつき合い始めた、二人の子どものいる妻帯者だ。最初は仕事の関係で顔を合わせるようになったのであるが、そのプロジェクトが終わったとたん、いきなり口説き始めたのだから、それなりに律儀《りちぎ》なところがある。食事の後、酒を飲み、ホテルへ行くというお決まりのコースであった。ホテルのツインの部屋に入るなり、圭介は桃子を抱き締めキスをする。

「沢田さんって、本当に可愛いなあ。僕、最初に会った時から、可愛い女の子だなあ、趣味だなあってずっと思ってたんだ」

「ちょっと待って」

桃子は上半身をそらして、男の腕の輪から逃れようとする。

「ねえ、井上さんって、私のこと、ずうっと沢田さんって呼ぶ気なの。万が一、万が一よ……」

この「万が一」という言葉を、桃子は意地悪く発音した。

「万が一、私たちがベッドインしたとするでしょう。その時も、井上さんって私のことを、沢田さん、好きだよ、沢田さん、イクよーとか言うわけ」

「そ、そんなことないよ」

男は狼狽《ろうばい》のあまり、ごくりと喉仏《のどぼとけ》が上下している。

「僕、君のこと、本当に好きだし、本当に君のことだけ考えてるし……」

沢田さんが「君」になったが、これは苦肉の策というものらしい。たまらないおかしみと、サディスティックな気分がひたひたと桃子の胸を浸し始めた。妻と子どもがいて、しかも五歳年上の男だったから、少々下手《したて》に出ていたのであるが、これではっきりと優位に立ててた。

「あのね、私も少なからず、ちょっぴり恋愛経験っていうものがあるの」

「わかるよ……」

「そういう時って、ルールっていうものがあると思わない。キスするまではまあ、沢田さんって苗字《みょうじ》でいうのは仕方ないわ。だけどね、キスをしたら桃ちゃんになって、それ以上のことが起こったら、桃子になるのって普通じゃない。ベッドの上で、男と女が抱き合ってて、沢田さん、なんて呼ぶの、すっごくおかしいと思う。あ、女は別よ、女はね。女は最後まで男の人のこと、苗字で呼ぶことあるわよ。その方がセクシーだものね」

よく喋《しゃべ》る女だという風に、圭介は桃子の方を見つめている。が、決してがっかりした様子ではない。獲物《えもの》を密室の中まで咥《くわ》え込んできて、まだ食べる前の男というのは、決して女の欠点を見つけないものである。桃子はそのことを経験で知っている。圭介はただ桃子の話すさまに驚いているだけなのだ。が、この卒直な物言いも、実は内心気に入っているに違いない。圭介はもう一度桃子の腕を強くつかんでひき寄せようとする。

「ねえ、僕のことをいじめないでくれよ。だって仕方ないだろ、君の名前とお袋の名前が同じなんだよ。女房と同じだったたっていう話は時々聞くけど、お袋と同じだなんて、笑い話にもならないよな」

「だって井上さん、自分のお母さんのことを、桃子とか、桃子さんって呼んでいたわけじゃないでしょう。だったら関係ないじゃないの」

「うちの親父《おやじ》が、桃子って呼んでたんだよ、恥ずかし気もなくさ。オイ、とか言えばいいのに、桃子、お茶、桃子、夕飯にしてくれって……。ああ、畜生、どうしてこんなひどいことがあるんだろな。好きになった女と、お袋の名前が同じだなんてさ」

髭の濃い男がたいていそうであるように、圭介も汗っかきのようだ。鼻の頭の毛穴がいっせいに開き、そこから水滴が滲《にじ》み始めた。その様子とさっきの「畜生」という言い方がちょっと可愛くて、桃子は許してやってもいいかなと思い始めている。そんな桃子の気配は、すばやく相手に伝わったようだ。

「ね、ね、そんなに怒らないで。きっと努力するからさァ」

男の指はすばやく、桃子の上着のボタンにかかっている。桃子はここでまた「仕方ないかあ」と、口癖になりつつあるため息をついた。

半年たった。圭介に桃子の名前を言わせることは二人の間での、前戯のようにも処罰のようにもなっている。普段の会話でも「君」一辺倒だった圭介が、この頃はやっと「桃ちゃん」と呼びかけるようになっている。が、その最中の「桃子」は駄目だ。初めのうち、彼は笑って誤魔化そうとしたのであるが、やがて真面目《まじめ》な顔でこう言った。

「やっぱり駄目だよ……。無理に言おうとするとさ、体の方が拒否しちゃうんだよ。何だか、近親相姦《そうかん》しているような気分になっちゃって」

「もうー、イヤになっちゃうなあ」

桃子はむき出しになった胸をシーツでおおう。しばらくおあずけ、という意思表示である。

「私だけじゃなくって、女っていうのはね、男の人が名前で呼んでくれるようになった時、すっごく幸せを感じるものなの。大人になるとね、誰も呼び捨てにしてくれなくなるでしょう。身内でもないのに、ごく当然のことみたいに『桃子』って呼ばれる。その時にね、女って、私はこの人のものになったんだっていう幸せを感じるものなの。それなのに私って、それをもう味わうことが出来ないのねえ……」

「ごめん、ごめん……」

圭介はうなだれているのであるが、そのくせ右手はせわしなく、煙草《たばこ》と灰皿のありかを探りあてようとしている。どうやら「一ぷく休憩」ということらしい。桃子は突然乱暴な衝動にかられて、男の胸にかじりつく。圭介の胸はもやもやとやわらかい毛が密生していて、それを桃子は昔持っていた小熊《こぐま》のヌイグルミのようだとよくからかう。ヌイグルミよりも短かい毛の上に顔を埋めた。

「ねえ……桃子って呼んでよ」

「桃子……」

「愛してるよ、桃子、って言って」

「愛してるよ、桃子」

「それをね、こうしながら言うのよ」

マイルドセブンの箱をつかみかけた男の手を、思いきり強くひく。そしてそれを自分の胸の上にあてた。

「さっ、続きをしながら、何度も言うのよ、桃子、愛してるって……」

「それがさ、同時に出来ないんだよなあ」

小さな悲鳴とも、ため息ともつかない音が、男の唇からもれる。

「ねえ、ねえ、いつか言うからさあー。お願いだから強制しないでくれよ」

疑いが頭をもたげたのは、まさにその時であった。男の懇願《こんがん》の仕方が、あまりにも堂に入っているからである。

「この男、もしかすると嘘《うそ》をついているんじゃないだろうか」

以前友人に聞いたことがある。不倫をしている女たちというのは、自然とグループをつくるものだ。桃子は下からエスカレーター式の女子大を卒業しているのであるが、早く結婚した友人たちとは自然に疎遠《そえん》になっている。就職して長く勤めている友人たちと定期的に会っていたのであるが、その中でも不倫をしている三人の女たちと最近は結束が固い。いわば不倫仲間とでもいうべき存在である。その中の一人に言わせると、圭介の年齢や立場というのは非常に中途半端《はんぱ》で、最も不倫に向いていないという。もっと年をとって、経済的にも余裕がある男だと、それなりに割り切ることも出来るし、不倫に見合うだけのいいめにあうことも出来る。が、圭介のようにまだ若いと、

「もしかすると結婚してくれるかもしれない」

という女の煩悩《ぼんのう》を生みやすいというのだ。そのために男はいろいろな手を使う。自分にとっては、家庭が何よりも大切だと女に伝えなくてはならない。もちろん露骨にそんなことをしては元も子もなくなる。

「いちばんよく使う手は、子どもをダシにすることよね」

上司と四年来の不倫を続けている友人は言ったものだ。

「女房には何の愛情もない。女房とはいつでも別れられるが、子どもとはどうしても別れることが出来ないんだ、なんて、せつなげな表情で言われてごらんなさいよ。いつものテを使って、なんて思うんだけどもさ、こっちにだって一応生まれつきの母性本能っていうのが備わっているじゃないの。私はいいわよ、なんてつい言っちゃうわ

け」

　こうして愛人に防護壁をつくる一方で、男は自分の家庭を守り通すことを忘れない。そうした男の用心深さ、みみっちさというのは、

「涙が出るくらいよ」

　とその友人は言ったものだ。怖《おそろ》しく悪知恵が働くという。中でも男がいちばん気をつけていることは、においと女の呼び名だ。

「よく聞く話だけど、愛人が香水を使っていたら、海外土産《みやげ》のふりをして女房に同じ銘柄を買ってくるわよね。だけどこの話、世間に知れわたっているから、もう使えないかもしれない」

　しかしどんな男でも、女の部屋でシャワーを浴びる際、絶対に石鹼《せっけん》を使わない。石鹼というのは、意外なほど香りが高いものだからだ。それよりも何よりも、男が心底案じているのは、うっかりと愛人の名を口にしてしまうことだという。

「女はその点、便利よね。二股《ふたまた》かけている場合も、オールマイティに〝あなた〟で通すことが出来るものね。その時にも名前言わないようにして、『あなた、素敵』で通す習慣つけておけば、まずバレるようなことはないわよ」

だけど男はその点大変だわよね。〝君〟で通すわけにいかないものね。私の知って

いる男の人たちは、いろいろ考えてるわよ。犬や猫を飼って女名前つけるわけにもいかないでしょう。傑作なのはね、それまで書いたこともないくせに、懸賞小説に応募するとか言って原稿用紙を買ってくるんですって。それでヒロインの名前を、愛人の名、ゆかりならゆかりにすればいいのよ。寝言で、ゆかり、ゆかりってつぶやいても、奥さんは何も疑いやしない。こんなに苦労して可哀想《かわいそう》って同情してくれるんですって。その男、三年間かかっても十枚しか書けないけど、それがいかにも苦労してるみたいで、このテは当分使えるぞだって」

友人と声をたてて笑った後、桃子は不安で胸が締めつけられそうになる。

「圭介は、ひょっとして嘘をついているんじゃないだろうか」

桃子という名前は、舌の滑りのよい名前だ。うっかりと舌にそれを憶《おぼ》えさせたら、とめどなく出てきそうである。不倫をしている男にしてみたら、出来る限り発音したくないだろう。そのために圭介は、出来るだけ桃子の名を「それでさー」「ねえ」という簡単な呼びかけで済まそうとしているのではないだろうか。

本当に、圭介の母親は桃子という名前なのだろうか。

男への疑いというものは、ちょっとしたきっかけさえつかめれば、後はとめどなく膨らんでいくものである。ましてや不倫というものは、見て見ないふりをしている脆《もろ》さの上に成り立っている。ちょっと勇気を出してそれをつつこうものなら、あっという間に崩れてしまいそうだ。それでも桃子が真実を確かめようと決意をしたのは、この半年ほとんど名前を呼んでもらえなかった悲しみと恨みがたまっていたからに違いない。男に名前を、〝さん〟も〝ちゃん〟もつけない下半身裸の名を呼んでもらうことは、「愛している」という言葉以上の重みを持つのだ。桃子はどんなことをしても、圭介の母親の名を確かめようと心に決める。

幸いなことに、桃子は圭介の自宅の住所と電話番号を知っていた。ただの仕事仲間だった時に、彼は年賀状をくれたからだ。そこには東京郊外の住所が書かれていた。後で彼から聞いたところによると、父親が定年退職をしたのを機に、親の土地に流行の二世帯住宅を建てたというのだ。桃子はまず電話をかけることにした。セールスマンのふりをすることを思いついたのである。

「もしもし、おたくさまに井上桃子さん、いらっしゃいますか」

と尋ねればすぐにわかることだ。セールスの電話だからいいかげんに切るに決まっているが、その前に、

「いますけど、何のご用ですか？」

あるいは、

「そんな名前の者はおりません」

といった何らかの反応が返ってくるはずだ。そしてさんざんためらった揚句、桃子はボタンに指を置く。今まで友だちに何度か聞いたことがあるが、相手の妻の声を聞くというのはこれほど緊張するものであろうか。

呼び出し音が鳴った。そして意外にも聞こえてきたのは、器械に組み込まれた留守番電話の案内であった。

「どうぞご用件をお吹き込みください」

次の日の昼にもかけてみたのであるがやはり留守だ。桃子は腹立たしさでいっぱいになる。圭介は一度も言ったことがなかったが、どうやら彼の妻は働いているらしい。幼ない子どもを二人預けてのフルタイムの仕事だったら、さぞかし彼女にとっては意味あることなのだろう。桃子は長いこと、彼女のことをぽっちゃりとした専業主婦だと思い込んでいた。自分が身につけているハイヒールや、スーツといったものはもう手にしない女だと思っていた。ところがどうも違うらしい。四回目の留守番電話を聞いた後に、桃子は決心する。圭介の家の表札をこの目で見ようと。

今まで男の家をこっそり見に行く女は、とんでもない大馬鹿者《おおばかもの》だと思っていた。そんなみじめなことを誰がするかと、人に言ったこともある。

しかし気づいたら、平日の午後桃子は郊外へ向から電車に乗っていたのだ。地名からこのあたりとおぼしき同じ名の駅で降りたのであるが、駅前の交番で聞いたところ、むしろひとつ前の駅の方がよかったという。タクシーに乗り、住所を告げると、

「ああ、市民病院の近くね」

と軽く受け合ってくれ、ワンブロック前でぴたり止まったのはさすが地元の強みだろう。想像していたよりも小さな家であった。が、アプローチや二階のベランダに花が植わっている。安っぽいプレハブ住宅であるが、二世帯住宅らしい温かみと落ち着きがあった。

表札は二つあった。右側の表札の二番目に書かれた〝桃子〟という名が桃子の目を射る。圭介は嘘を言っていなかったのだ。井上邦男というのは、おそらく彼の父親の名前だろう。それに寄り添うようにして、桃子という名は確かにあった。

そして左側の表札には、若夫婦の名が書き込まれていた。留美という名が、彼の妻だと初めて桃子は知った。そして、そして、いちばん最後に名前がある。子どもは二人と聞いていたが、三番めにあるところをみると、どうも最近生まれたらしい。新しくつけ加えたらしいサインペンの色が、他のとまるで違っている。

「愛」とあった。どうやら女の子で、名前は愛というらしい。一見平凡な名前だが、

この花のたくさん植えてある家に、とてもよく似合っている。

愛、愛、愛、愛……。口の中で桃子は何度か繰り返し、もう少しで笑い出すところであった。愛、愛、愛、愛と、男は何度も声に出し、頬ずりをしただろう。ああ、なんていい名前だろうとも言ったろう。その間、桃子は名前を呼んではもらえなかった。ずっと名無しの権兵衛《ごんべえ》だったのだ。

「愛か」

この美しい名を口にし、その響きに心をうたれた桃子は完璧《かんぺき》に負けたと思った。

# 年賀状

妻の美佐子から、パソコンを教えてと言われた時、葛西《かさい》はちょっと厄介なことになったなと思った。

世の中の多くの女たちがそうであるように、美佐子もメカニックなものに大層弱い。電話機に取り付けた家庭用ファクシミリを、いじくりまわしては揚句の果てに故障させ、

「どうしてこんな簡単なものを……」

と葛西は唖然《あぜん》としたものである。美佐子のような女にパソコンを初歩から教えるとなると、かなりの時間と忍耐が必要となるはずであった。しかもカレンダーはおととい から師走《しわす》に変わり、会社はいちばん忙しい時である。

「ちょっと使い方を教えて貰《もら》うだけでいいの」

夫の気持ちを察してか、美佐子は急に早口になった。

「あのね、パソコンで年賀状をつくりたいのよ。麗美と英介の写真を年賀状にしたらさ、おじいちゃん、おばあちゃんたちが喜ぶと思って」

「なんだ、そんなことか」

葛西は笑った。妻がインターネットをしたい、などと言い出したらどうしようかと内心案じていたからである。

「だったらオレがやってやるよ。写真を持ってきてくれたら、すぐつくってやる。あれはとても簡単に出来るよ」

「あら、そう。じゃ、お願いしちゃおうかな」

美佐子は軽く肩をすくめる。最初から夫にやらせるつもりだったのであろうが、ちょっと小細工をつかうといおうか、遠まわりをするところがいつもの癖である。ねだり上手と本人も認めているとおり、葛西は気がつくと妻のペースにはめられていることが多い。

これがもしいきなり、

「ねえ、パソコンで子どもたちの年賀状をつくってよ」

と切り出されたら、虫の居どころ次第では即座に拒否したかもしれない。美佐子は来年の一月で三十四歳になるが、年よりもはるかに若く見える。肩までの髪をわずかに茶色に染め、黒ビロードのヘアバンドをしているのもよく似合っていた。学生時代、ひと目惚《ぼ》れした葛西が、押し切ってやっと手に入れた女である。美佐子は美人なうえに家が資産家だったので、まわりの人間は誰もが無理ではないかと言ったものだ。それなのに美佐子は、最後は親の大反対を振り切って自分に従《つ》いてきてくれたのである。

あの時から葛西は、男としての自分の魅力と運の強さに自信を持ったような気がする。葛西は決して好男子というのではない。背も高くなかったし、丸顔に小さな目鼻というのは今どき流行《はや》らない顔であろう。それなのに女に関しては確かについていたといってもいい。最初はこわごわと行動を起こしたのであるが、やがて幾《いく》つかのコツを習得した。その最も大きなものは強引さといっていい。強引さというのは、今どきの女たちが初めて目にするものであったから彼女たちは目をぱちくりする。その隙《すき》に葛西は大きく踏み出していって彼女たちを攫《さら》えばいいのだ。いつの間にか彼は、男たちの中で「凄腕《すごうで》」という評価を受けるほどまでになっていた。

美佐子という大きな戦利品を手にしてからも、葛西はこのコツを錆《さ》びつかせないために時々使うことがある。

「ねえ、うちの年賀状をつくったら、ちょっと初歩だけ教えてくれない。そうしたら私、パソコンで年賀状の整理をしてあげる。あれを使ったら住所録、簡単に出来るんでしょう」

妻の言葉に葛西はひやりとする。が、そのひやりとする感触も、自分が求め時々味わってみたいものかもしれなかった。葛西のところには、毎年七十通ほどの年賀状が届けられる。その中に一通、葛西を落ち着かなくさせるものが混じっている。それは戦利品というには、あまりにも暗い記憶があるものだ。暗い記憶は当然のことながら後悔というものに変わる。

もともと自惚《うぬぼ》れが強く、かつ要領がいいと自認している葛西は、後悔というものをめったにしたことがない。多少のことは「ロマンティックな思い出」という言葉で処理してきた。しかし田村香織のことだけは、拭《ぬぐ》っても拭いきれないような苦渋に包まれている。

香織は三年前まで葛西の部下であった。葛西は昔から美人しか相手にしない。その方が努力のし甲斐《がい》もあるし、容貌《ようぼう》に自信のある女ほど、単純な技が効果的なのだ。香織は目立つ華やかさは持っていないが、肌理《きめ》の細かい白い肌に黒目がちの目が愛らしかった。睫毛《まつげ》がくっきりと濃いので、アイラインをしているように見えるほどだ。

葛西は部下を家に呼ぶのが好きだったから、香織も他の若い社員たちと一緒に時々やってきたものだ。

「綺麗《きれい》な子だけど、ちょっと気のきかないところがあるわね」

美佐子はそんな風に香織を評した。他の女たちがてきぱきと汚れたグラスや皿を台所に下げる間、ぼんやりと所在無さげにソファに座っていたというのだ。そんな香織とどうして関係を持ってしまったのかと、葛西は今でも訝《いぶか》しく考えることがある。水商売の女性以外にも、取り引き先の女子社員と短かい交渉を持ったことがある。しかし自分の会社の女性社員というのは初めてであった。

葛西の強引さというのは仕事上にも反映されて、同期の中ではかなり目立つ存在だ。三十代といえば、出世をまだあきらめる年でも、レースに疲れる年でもない。だからかなり用心深くしてきたつもりであるが、香織の場合は「ついうっかり」というのが正直なところだ。好みの女だと、密《ひそ》かに後ろ姿を目で追ったことはあるが、触れるつもりはなかった。これは全く言いわけにならぬが、当時美佐子が下の男の子を妊娠していたことも大きかったはずだ。

二、三度関係を持つうちに、これは不味《まず》いことになりそうだと葛西は思った。若い女の純情さというのは、したたかさよりももっと始末に悪い。葛西の武器であり美徳であった強引さも、この場合裏目に出た。ベッドの中の言葉を、若い娘はほとんど信じてしまったのである。最後の方は、葛西が本当に離婚してくれるものと思い込んでどれほど彼は狼狽《ろうばい》したことだろう。結局なんだかんだで別れるのに一年かかり、若い女の体を楽しんだのと同じ期間手こずってしまったことになる。失策といえば失策であるが、この間香織に無謀な行動をとらせることもなかったし、妻にも知られることはなかった。どこまで自分のことが原因となっているかわからぬが、香織はおとなしく会社を辞めた。まあ最後は、うまく収めることが出来たと、胸を撫《な》でおろしていたところ、届いたのが一通の年賀状である。それは文房具店の年賀状コーナーで売っていそうなありきたりのものであった。書かれてある文章も、平凡といえば平凡なものである。

「昨年はいろいろなことがあり退職いたしました。その節はいろいろご迷惑をおかけし、申しわけございませんでした。またいつかおめにかかれるのを楽しみにしております。奥さまによろしく」

どうということのない文章だが、ここにはさまざまな暗号が込められている。特に最後の「奥さまによろしく」という言葉に、葛西は大きく胸が波うった。それは香織に対する不憫《ふびん》な感情ではない。妻の美佐子に何か気づかれないだろうかという怯《おび》えなのである。しかし妻にとって、その年賀状は家に届けられる七十分の一に過ぎなかったらしい。

「あら、田村さんから来てるわ」

珍しく小紋の着物を着た美佐子が、声を上げたのは憶《おぼ》えている。昨年のことだ。

「会社辞めてどうしてるのかしら」

「さあ、家で花嫁修業でもしてるんじゃないか。キャリアウーマン、っていうタイプの子じゃなかったから」

「そう。綺麗なお嬢さんだから、すぐに決まるんじゃないかしら」

葛西もそれをどれほど望んでいたことであろう。不倫をした相手の若い女が、幸福な結婚をしてくれるというのは、男にとって消ゴムを手に入れたようなものだ。これによって揉《も》めごとや嫌な記憶、責任や恐怖といったものをすべて消すことが出来る。残るのは甘美な女との思い出だけで、これによって一層男の自惚れは強くなっていくのだ。だから懲《こ》りもせず、また同じことを仕出かす。

しかし香織との場合、そんなことは起こらなかった。今年の正月に、葛西はまた一枚の年賀状を受け取ったのである。それは白く厚手のハガキで、印刷された干支《えと》の動物がおどけたポーズをとっている。

「まだ自分の生き方がわからず、ぐずぐずと家にいます。今年こそ明るく羽ばたいていける年にしたいと思っています。どうぞよろしく」

どうぞよろしく、どうぞよろしくとはいったいどういうことだろうかと、葛西は舌の上で反芻《はんすう》した。どうぞよろしく、っていったってオレに何が出来るというのだ。もう自分たちは終ってしまった仲ではないか。よろしく、というのは継続する人間関係のみ使われる言葉である。二年前に別れた男に使うものではない。

確かに香織には、いささかひどいことをした。自分ではうまく宥《なだ》めたつもりであるが、二十代の女には酷なことを言ったかもしれない。その代償として、これから自分は一年に一度、このひやりと怖い感情を味わわされるのであろうか。

いや、いや、こんなことはたいしたことではないじゃないかと、いささか屠蘇《とそ》の入った彼は首を横に振る。世の中には、若い女に手を出したばかりにうちに乗り込まれたり、上司に告げ口されたりする男がいくらでもいる。身の毛がよだつような犯罪さえ起こっているのだ。そこへいくと年に一度、自分を捨てた男にちょっとした嫌がらせをするぐらい可愛《かわい》いではないか。それだけ未練があるということなのだ。自分もまだ捨てたものではないかもしれぬと、葛西は例によって自分の都合のいい方向に持っていこうとする。

香織とのことで懲りて、かなり身を慎んでいたが、そろそろ枷《かせ》をはずしてもいいかもしれない。葛西はある女の顔を思い浮かべる。それはやはり部下にあたる女性社員である。香織の時は最初の社内不倫であったからかなりびくついていた。あまりにも用心した結果、楽しめるものも楽しめなかったような気がする。が、葛西にはわかったことがある。男女の色ごとというのは、気づかれるようで実は気づかれないのだ。人はそれほど他人のことに興味を持ったりはしない。彼らが強い好奇心を注ぐのは、恵まれた容姿を持つ男と女に対してだ。平凡な顔かたちを持つ者は、それと同じように平凡な人生を持つと思われるところが盲点となり、葛西はその隙に乗じて幾つかの勝利を手にしてきたわけだ。

若狭今日子は、今年の異動で同じ部に配属された女だ。すらりとしたプロポーションと、キャスターの誰それに似ているという顔が理智《りち》的な印象を与える。年は二十七歳ということであるが、このあたりが恋を仕掛けるにはいちばん面白い年齢だと葛西は思う。香織の時もそうであった。結婚のシーズンはひとつはずしている。三十歳にはまだ間がある。恋人のひとりやふたりはいるだろうが、ある意味で空白の時だ。いずれは結婚するだろうが、その前に胸をきりきりさせるような、せつないことをしたいと願っている世代である。こうした女たちの中には潜在的に不倫への興味や憧《あこが》れがあるのであるが、相手には実に恵まれていない。妻や子を持っている男というのは、そう積極的な行動に出ないからだ。ここで葛西の出番になる。相手を否定し、それまでの女としての生き方がいかに傲慢《ごうまん》で間違っていたかを力説する。相手が怒り、怯《ひる》んだら今度は誉《ほ》め上げる。それもありきたりの言葉では駄目だ。美しい女というのは賞賛されることに慣れているから、別の面から美点を攻めていくのである。葛西はこれに、自分がさまざまな場面で身につけてきた幾つかのテクニックを使う。ハンサムな男なら決してしてこなかった努力を、彼は高校生の頃から怠ったことはない。

今日子に目をつけた今年の正月から、彼はとろとろと時間をかけてさりげない好意を見せてきた。課の忘年会は、毎年十日前後に行なわれる。二次会の後、葛西と今日子は帰り道が一緒になった。この偶然をつくり出すために、葛西は手を尽くしたのである。行きつけのバーに行かないかと誘うと、今日子はあっさりと承諾した。これはもちろん吉兆というものである。かなりいける口だということは知っているから、葛西は今日子のために口あたりのいいカクテルを注文してやる。美食や酒の知識というのも、彼が一生懸命身につけたもののひとつだ。今のように若者のマニュアル本がなかった頃だから、これは確かにひとつの小道具になった。

「若狭君っていうのは、酒の飲み方からして、普通の若い女とはちょっと違うね」

「そうですか」

今日子は白いトウモロコシのように、綺麗に揃《そろ》った歯を見せて笑う。彼女に微笑《ほほえ》まれるたびに、葛西は自分が揶揄《やゆ》されているような気がするのであるが、これは自分が少々緊張しているせいであろう。社内の女というのはまだ二人めなのだ。

「何ていうのかなあ、シラッという感じで飲むだろ。酒なんて何の意味もない、っていう態度だよ。僕は君のお酒を飲んでるところを見るたびに、ちょっと怖い気分になるよ。この女の人は、どういう人生で、どういう恋をしてきたんだろうって……」

ふっふっと今日子は唇をゆるめて見せる。誘いとも、軽くいなしているとも見える笑いであるが、こんな時間ひとりでバーまで従いてきたのだ。決して拒否の笑いではあるまいと葛西は判断する。こうした女の笑いを消すのは簡単なことだ。強く意表をついた言葉でとどめを刺せばよいのである。

「結局、君は傲慢なんだよ。わかるかい、君はとっても傲慢な人間だ。僕はそれをすぐに見抜いたよ。あ、この人はこのままじゃ駄目になるってとっさに思った。何とかしなきゃって感じた。そう、僕は君に魅《ひ》かれてる、だから君を救いたいんだ」

葛西は目を上げる。その時信じられないものを見た。女はこういう時、とっさに怯えるはずであった。怒る、狼狽するということもある。ところが今日子はさらに口を大きく開け歯を見せている。しかし目は笑っていない。それは間違いなく侮蔑《ぶべつ》の表情であった。

「ふっ、ふっ、葛西さんって聞いていたとおりですね」

「えっ」

「私、田村香織さんとすごく仲がいいんですよ」

彼女はもう笑うのはやめた。いや、笑う表情をつくるのをやめた。暗い店の中で、目が強く光っているのがわかる。その目をどこかで見たことがあると思った。

「期も違うし、部も違うのに、行きつけの美容院が一緒だったんです。すぐに友だちになりました。彼女、葛西さんのことですごく悩んでいたんですよ。本当に見ていて気の毒なくらい。今でもあの人、ふっ切れていないんですよ。私、前から言ってました。そんなにあなたが苦しむほどの男かしらってね」

葛西の頭の中でせわしく計算が始まる。この女をどこまで口説いていただろうか、どこまでシッポをつかまれていただろうか……。

「君、まさか田村君におかしなことを言うんじゃないだろうね」

「おかしなことなんて、私何も言いませんよ。ただ葛西さんが香織に最初に言ったのと同じことを、ちょっとアレンジして私にも言ったっていうことを教えるだけですよ」

今日子はゆっくりとスツールから降りた。まるで芝居の一場面を見ているようなしぐさであった。

大晦日《おおみそか》の晩、眠りにつく前に葛西は明日届くはずの年賀状について考えた。おそらく今日子は香織に自分とのことを喋《しゃべ》ったに違いない。あれから年末の忙しさと気まずさとが一緒になり、今日子とゆっくり話す機会もなかった。弁明したり、釘《くぎ》を刺しておくのも大人気ないと思案しているうちに、あっという間に休みになってしまったのである。

明日の香織の年賀状の文面は、いったいどんな風になっているのであろうか。何か嫌味を書いてあるかも知れぬし、何かぶちまけてあるかもしれぬ。いずれにしても早起きして誰よりも早く年賀状を点検する必要があった。

いつもは元旦《がんたん》は朝寝する習慣であったが、目覚まし時計をかけた葛西は八時に起きてしまった。

「いったいどういう風の吹きまわしなの」

雑煮のだしをとっている美佐子の傍《そば》で、三歳になった息子がはねまわっている。葛西は所在なくリビングのソファに陣どりテレビを見続けた。

十時になった。郵便屋が来る頃である。退屈したようなふりをし、そろそろマンシヨンの一階の郵便受けを覗《のぞ》いてみよう。葛西が半身を起こした時電話が鳴った。

「国枝さんから。年賀状の返事を電話でって……」

部長からである。屠蘇で機嫌よくなったらしい彼は、正月休みにゴルフに出かけようとくどくど話しかける。

「ママーッ、年賀状来た。私の見てもいい」

ドアの大きく開く音と娘の声がする。しまったと思うが、相手はなかなか電話を切ってくれない。

「じゃ、みんなで仕分けましょう……。あ、麗美ちゃんに来てるわ。これは真奈《まな》ちゃんからね」

待て、待てと葛西は手で制したのであるが、美佐子と子どもたちはにぎやかに年賀状の山を崩し始めた。

「だからさ、伊豆のあのホテル、支配人と友だちだから何とか取ってくれるよ。君だろ、それから総務の堀口君も正月、暇らしい……」

喋《しゃべ》り続ける電話をどう切ったか憶えていない。葛西はテーブルに近づいた。おせちのお重の横に、一枚の年賀状が置いてあった。いつの間にか美佐子と子どもたちの姿は消えている。そこには年賀状には全く不似合なしんと冷たい空気が漂っていた。

一枚だけ置かれた年賀状には四人家族が写っている。おそらくパソコンでつくったのであろう、レイアウトがどこか素人《しろうと》っぽい。けれどもそれが、いかにも手づくりの幸せそうな雰囲気をかもし出している。

「あけましておめでとうございます。わが家はますます元気でパワーいっぱい。今年も楽しくいい年にしたいと思ってます」

うちのリビングルームで撮ったものだ。いちばん右のソファにセーター姿の葛西が座っている。ぐんと背の低い麗美がその下でみそっ歯を出して笑っている。まだ赤ん坊の息子がいる。そして葛西は、あっと声を出して年賀状を取り落としそうになった。息子を抱いているのは、妻の美佐子ではなく香織であった。これはいつ撮ったものだろうと、葛西は遠ざかっていく意識を必死で呼び戻そうとする。恐怖と驚きのあまり、その力がぐっと弱まりそうになる。やっと思い出した。息子が生まれた翌年の正月だ。女性社員が三人で遊びにやってきた。皆でかわるがわる写真を撮った。誰かが葛西一家を写してくれた直後、香織が言ったのだ。

「私も英介ちゃん、抱かせてください」

美佐子は何の疑いもなく、笑いながらその座を譲った。香織はそのまま妻の居たソファに座り、赤ちゃんって重い、と小さな悲鳴を上げたりした。写真はその時のものだ。

文面は続く。

「これからも私たち一家の幸せが続きますよう、よろしくご指導ください。

田村香織」

# 白い胸

北村多恵子は、鏡の前で自分の乳房を眺めた。しみじみと見る。風呂《ふろ》上がりにそんなことをするのは何年ぶりだろうか。

多恵子は今年四十四歳になるが、晩婚だったために子どもはまだ五歳と四歳の年子という、手のかかる年齢だ。姉と弟の二人の子どもは、いつも風呂に入る時大騒ぎとなる。その子どもたちをなだめすかして風呂に入れ、湯船の中につける。髪を洗ってやり爪《つめ》の点検をする。大丈夫と思ったら大声で夫を呼び、ひとりひとり受け取ってもらう。夫がいる時ならまだいいが、雑誌のカメラマンをしている晃は、出張に出かけていたり夜いないことが多い。そういう時は濡《ぬ》れた体に服をまとい、大急ぎで子どもたちにパジャマを着せなくてはならぬ。そんなわけで風呂上がりに、自分の体にじっくりとボディローションをつけることなどもすっかり忘れていた。

その日多恵子にそんな余裕があったのは、田舎から母が上京し、子どもたちを風呂に入れてくれたばかりでなく、上手に寝かしつけてくれたからである。いつもはろくに体を拭《ふ》くことも出来ないのであるが、今夜は貰《もら》いもののボディローションでもつけてみようかと多恵子は鏡の前に立った。そしてすぐに後悔と感嘆が多恵子を襲う。見るのではなかったという思いと、もっとじっくり観察してみようという好奇心がせめぎ合って、好奇心が勝った。多恵子は童話作家だ。小さな出版社から全く売れない本を二冊出しただけであるが、それでも物書きであることに変わりない。物を書く女独得の観察眼と、自虐心《じぎやくしん》とがまだ多恵子に下着をつけさせないでいる。

「人間の体っていうのは、こんなに変わるものなんだろうか」

多恵子がまず思ったのはそのことである。多恵子は中肉中背という言葉がぴったりの体つきで、既製服のいちばん揃《そろ》っているサイズである。従って乳房も小ぶりで、これといった特徴を持たない。大きな胸に憧《あこが》れたこともあったが、多恵子の時代はまだ胸の大きい女は馬鹿《ばか》だという伝説が生きていた頃である。小さな胸でもコンプレックスをさほど持つことはなかった。それに小ぶりといっても、多恵子の乳房は大層形がよく、乳首はつんと上を向いていたものである……。

といっても多恵子はその自分の乳房の記憶をたどるだけだ。よく考えてみるとおかしなことであるが、女は若い頃の自分の乳房を見ることが出来ない。顔だったら二十代、三十代はじめの自分と見比べることはいくらでも出来る。写真がたくさん残っているからだ。が、普通の女は自分の乳房の写真を残すことはない。若い時の乳房は、何人かの男と自分の記憶の中にだけある。思い出の中でそれは大層美しい。コンプレックスなどどこかに吹っとんで、いつのまにか理想的な大きさと形になっている。

もちろん何割か差し引いて考えなくてはいけないだろうが、今のこの乳房よりははるかにましだ。高年齢出産でも母乳が出たため、ずっとそれで育ててきた。おかげで乳首と乳輪は褐色というよりも黒ずんでいる。小さな乳房でも垂れるということはあるもので、その乳首の位置もずっと下に来ているのだ。首から胸にかけてほとんど扁平になっていて、どこから見ても貧相な中年女の体である。

「人間っていうのは、こんなに変わるものなんだろうか」

もう一度口に出していったとたん、多恵子の頭の中にたっぷりと豊かな乳房が浮かびあがる。あっと多恵子はあまりの胸苦しさに声をあげる。嫉妬《しっと》というものが、これほど脈絡なく唐突に訪れようとは考えてもみなかったからだ。

その乳房は多恵子のものではない。別れた男の恋人が持っているものである。

普通の女は自分の乳房を写真に残すことがない。だから女というものは、恋敵《こいがたき》の乳房を知ることもないし、自分の乳房を知られることもない。一緒に風呂にでも入らない限り、勝敗を決める重要な資質は永遠に隠蔽《いんぺい》されることになる。

ところが多恵子は相手の女の乳房を見る機会を持ってしまった。なぜそんなことが可能だったかというと、その女は女優だったからである。

若い頃、多恵子は脚本家を夢みて夜間のシナリオスクールに通っていたことがある。中村哲哉とはそこで知り合った。彼は広告代理店に勤めながら映画の脚本家をめざしていたサラリーマンであった。

昔のことだから、シナリオスクールに通う男などというのは文学青年か、ひと癖もふた癖もあるひね者ばかりだった。が、哲哉は外見からして彼らとはまるで違っていた。スーツをきちんと着てくる受講生などというのは珍しかったし、彼のように愛想のいい人間というのもいなかったはずだ。丸顔に眼鏡をかけた哲哉は、いかにも憎めない風貌《ふうぼう》をしていて、営業マン独得の言葉惜しみしない男であった。

「まあ、まあ、そこはよろしく」

というのが口癖で、酒の席での仲間の喧嘩《けんか》の仲裁役を買って出たりするのも彼であった。こういう性格というのは、物書きを目ざす男たちからは軽んじられる傾向がある。哲哉はいつのまにか嫌われることもないが、尊敬されることもないといった存在になっていく。

「あいつは所詮《しょせん》、営業マンやってりゃいいんだよ」

そんな風な陰口を叩《たた》く者さえいた。その哲哉がシナリオの公募で当選し、ドラマ化されるという栄誉を勝ち取ったばかりでなく、クラスのマドンナ的存在だった多恵子でさえ自分のものにしていたのだから、まわりはあっと驚いたものだ。公募に当選する前から、二人は同棲《どうせい》していたのである。

一緒に暮らし始めて、多恵子がすぐに気づいたのは哲哉の狡猾《こうかつ》さだ。彼は確かに才能もあったが、それを上まわるほどの自信と野心も持ち合わせていた。が、彼は賢くそれを隠そうとしていたのだ。思えば彼の人のよさや、のんびりとした三枚めぶりは、すべて計算ずくのことだったのである。そこへいくとシナリオスクールの仲間たちの強がりや気取りは何と単純なものだったろうか。

しかし狡猾だからといって、それで愛情が薄れるわけでもない。あの頃の多恵子は、男が眼鏡をはずす瞬間がたまらなく好きであった。眼鏡をとると彼の目はずっと大きくなり、その顔立ちは端整といってもいいぐらいだ。眼鏡だけでなく、大きなものを脱いだように哲哉は多恵子にとびかかってくる。ベッドの中の哲哉は、昼間の彼からは想像も出来ないほど強引で卑猥《ひわい》で、多恵子はうっとりしたものである。自分の持つ乳房が、かなり大きな評価を得られるものだと教えてくれたのも彼である。

　しかし二年の同棲生活の間には、さまざまなことがあった。ぼちぼち仕事が舞い込み始めた哲哉は、会社を辞めようかどうかと悩み始めた。が、これに反対したのは多恵子である。多恵子の方は、いち早くOL生活に見切りをつけ、人のつてでフリーライターの仕事を始めていた。自分がこうした不安定な仕事に就いたことの反動で、多恵子は男に会社にとどまることを望んだのだ。

「お前はずるいよな。自分はふらふら好きなことをして、オレの方はずっとしっかり会社員やらせようっていう腹だろ」

　哲哉は眼鏡の奥の目を光らせ、多恵子をなじるようになった。それだけが原因ではない。さまざまな要素がからみ合い、太い一本となって別れへと導いた。その直後は確かに憎しみもあったし恨みもあったが、やがて時間がたつにつれ多恵子の中で、やさしい丸味を持った思い出に変わっていったのである。時間が多くの尖《とが》ったものを削り、下流に流れついた小石のように、記憶をなめらかなすべすべした形にしてしまった。というのも、この別れをきっかけにして、双方が幸運という道を歩き出したからである。

　多恵子は、やがて教育雑誌で嘱託記者をするようになり、それが童話を書くきっかけになった。カメラマンの夫と知り合ったのもこの職場である。が、哲哉に比べれば、多恵子のこの幸運などささやかなものといえるだろう。会社を辞め脚本家として本格的にデビューした哲哉は、やがてドラマのシリーズものを手がけるようになった。今では売れっ子といえないまでも、そこそこ名を知られた中堅作家の地位は得たようである。

職業柄彼の住所を知ることは簡単だが、広尾の高級マンションの名が書いてある。文句なく彼は出世したのだ。

八年前哲哉は結婚し、この時は小さな扱いとはいえ、スポーツ紙に出たほどである。「女優の高樹えり子さん、新進脚本家と結婚」

八年前の彼は「新進脚本家」と表現されていたが、今だったら違う称号がつけられたことだろう。

まだこの時多恵子は結婚していなかったが、そのスポーツ記事をたんねんに読み返した。口惜《くや》しかったのではない。哲哉の性格からして、この女の選択が意外だったのである。彼の性格だったら、もっと名前の知れた女優と結婚するはずであった。そうでなかったら女優などとは結婚しない。哲哉にはそういうところがある。

えり子は、哲哉の手がける刑事もののドラマのシリーズに、刑事の妻役で出演していた。女優の格から言うと、タイトルが流れる際、二人ずつ名前が出される立場というとわかりやすい。新劇出身の女優というと、容姿よりも演技力が誉《ほ》められるものであるが、えり子ははっきりとした目鼻立ちのなかなかの美人である。それなのに三番手、四番手の傍役《わきやく》から脱せられないのは、なまじ演技が上手《うま》く重宝されてしまったという経過と、二十九歳という年齢が原因に違いないと、元シナリオライター志望の多恵子は想像する。こうした〝ほどほど加減〟の女を選ぶというのは、哲哉の変化を意味しているのではないだろうか。多恵子はその頃になると、結局自分は男から捨てられたのであり、それは男の野心によるものだったということがよくわかってきていた。

それにしても別れた男に関する噂《うわさ》というのは不思議な力を持っている。偶然というかたちで多恵子の目や耳に入るよう働くのだ。めったにスポーツ紙や男性週刊誌を見ることがない多恵子なのに、たまたま開くと、そこに哲哉やその妻に関する記事が出ていた。二人ともそれほどの有名人というわけでもないのに、多恵子は大変な確率で彼らの近況を知ることになる。その男性週刊誌には、「美人女優ヌード総出演」と、大きな見出しがついていた。大手の映画会社が、吉原を舞台にした映画をとることになった。当然のことながら女郎役の女優たちは裸になる。その数の多さと、中に人気女優たちが混ざっているのとを売り物にしようというのが映画会社の狙《ねら》いらしい。赤い蹴出《けだ》しを腰に巻きつけただけの女や、それもかなぐり捨てた女の写真が並んでいる。中でも売り物は、このあいだまでアイドル歌手をしていた女が初めて脱いだという写真だった。ほっそりとした美少女なのに、その両の乳房は驚くほど豊満で、乳輪も大きくよく発達していた。まだあどけなさを残す顔とは対照的に、体の方ははっきりと彼女の豊かな女の人生を表していた。この写真は大きな話題を呼ぶことだろう。

そしてその見開きグラビアをめくった次のページ、六分割された中にえり子のスチール写真もあった。女郎役の彼女は、日本髪を乱し、後ろから男に乳房をわし摑《づか》みにされている。

「新婚の高樹えり子も大ハッスル。心中する薄幸な女郎を熱演」

とその傍には下品なキャプションがついていた。多恵子はつくづくと写真に見入る。それは奇妙な感覚であった。嫉妬の気持ちなどまるで起こらない。嫌悪《けんお》もない。ただ何かを確認したという思いだけである。多恵子と六つしか違わないというのに、えり子の乳房は張りがあり、みずみずしい白さを持っていた。男の掌《てのひら》がぎゅっとつかんでいるため、右の乳房がつぶれているが、そのねじれ加減でいかに彼女の乳房がやわらかいかわかる。えり子の左の乳房の形も素晴らしかった。乳首の先に糸をつけ、それを誰かが上から吊《つ》り上げるとこんな風な形になるのではないだろうか。乳房の下のへりの皮膚も、上へ上へ伸び上がっているようだ。

男優の掌と哲哉の掌とが重なる。新妻のこの乳房を、彼もやはりこのように愛撫《あいぶ》しているのだろうか。多恵子は哲哉を祝福したくさえなってくる。彼と過ごした幾《いく》つかの夜を思い出す。彼は乳房をもみしだくのがうまかった。充分に時間をかけ乳首を大きく尖らせる。そしてそれを激しく音をたてて吸うのだ。

おそらくえり子も同じようなことをされているはずだ。いや、同じようなことではなく、全く同じ行為が彼女の乳房にもなされているはずである。男は相手の女によって、愛撫のやり方を変えたりしない。それは多恵子がつかんだ大きな真実である。同じことをし、同じ言葉をささやくけれど、それは決して男が不誠実だからではない。愛する女ごとに行為を変えていくことなど出来はしないのだ。その時に寝る愛する女に精いっぱいのことをすれば、どうしても同じことになってしまう。そんな男たちを、いったい誰が責めるだろうか。

多恵子はいつのまにか写真の中の女に親しみさえ感じているのである。同じ男に同じ愛撫を受けたとしたらもう他人ではない。この女と三角関係であったとしたら、また別の感情もわいたかもしれぬが、あの時は多恵子以外には誰もいなかった。期間が重なることがなかったら、女はもう一人の女を憎んだりはしない。

そして彼女の胸に顔を埋《うず》めて眠る哲哉のことを想像した。きっと子どものように口を開け眠っていることであろう。幾つかの欠点を持っている男であったが、その欠点を好きな女に曝《さら》け出《だ》す正直さが好きであった。きっと哲哉は幸福であろう。別れた男の不幸を願う女と、そうでない女とがいるが、自分は後者の方だ。多恵子はその善良さに酔いながらページを閉じた。八年前のことである。

それきりとうに忘れてしまっていると思っていたことなのに、不意にあの女の胸のことを激しく思い出している。みずみずしい桃色を保っていた乳首さえはっきりと再現することが出来る。

歳月が流れ、多恵子は結婚して二人の子どもの母となった。一人めの子どもを生んだ病院のベッドの上で、多恵子は見舞いに貰った女性週刊誌を開いた。そこには哲哉とえり子との離婚を伝える小さな記事が出ていた。脚本家の夫とのすれ違い離婚という文字を読んだ時、多恵子は決して嬉《うれ》しくはなかった。

それから哲哉の名は時々テレビの単独ドラマのタイトルで見かけるが、えり子を目にすることはない。もしかすると多恵子が知らないだけで、案外舞台で活躍しているのかもしれなかった。えり子の乳房は相変わらず美しいのであろうか。多恵子は彼女の胸を今、はっきりとこの目で見てみたいと思う。が、考えてみれば彼女ももう三十七か八という年齢である。体の美しさを見せる役はもうまわってこないに違いない。もう永遠に彼女の乳房を見ることはないのだとわかったとたん不意に哀《かな》しみが多恵子を襲った。

毎朝毎晩、鏡の中で女は自分の肌を確かめている。衰えを噛《か》みしめている。けれども服の中で呼吸しているものは、ひっそりと本人にも知られることなく老いていくのである。多恵子の、えり子のあの丸い輝やかしい乳房は二度と還《かえ》ってこないのだ。やっとわかった。四十四歳の多恵子が羨《うらや》んでいるものは、好きな男に抱かれる若い日の自分なのである。

多恵子はいつもと同じように、せっかちにタオルで胸の水滴をぬぐう。早く二階へ上がり、子どもたちがちゃんと寝ついたか見に行かなくてはならない。もう一度正面を見た。今夜はこの鏡から魔が射《さ》し込んできて、多恵子が得ている大きなものを幸福と呼ばせないようにしているらしい。それをふり払うために、多恵子はさらにタオルに力を入れる。乳房は何度かだらしなく左右に揺れ、さっきまで立っていた乳首はやわらかさを取り戻していた。

# 知りたがりやの猫

猫というのは思慮深く見える。いや、本当に思慮深いのかもしれない。犬のようにその瞳《ひとみ》に感情を込めることなく、気がつくとこちらをじっと見ている。

「あんた、また馬鹿《ばか》なことをやってる……」

「そんなんで、人生いいと思っているわけ?……」

とその目は語っているようだ。あくびをするタイミングも実に決まっていて憎らしい。うちの猫は、私が声楽のレッスンを始めると、決まって近づいてくる。そしてしばらくたった頃、ゆっくりと大きなアクビをするのだ。

「あーあ、こんなヘタな歌、聞いちゃいられないよ」

といわんばかりだ。アクビといえば私は二匹の猫を飼っていて面白い事実に気づいた。アクビをすると、間が抜けて情けない顔になる猫と、化け猫じみて怖くなる猫とがいるのだ。オス猫の方は日頃からおっとりしている性格であるが、これがまたアクビをすると、大変な阿呆面《あほづら》になる。美貌《びぼう》を誇るメス猫、その名もゴクミは、暗闇《くらやみ》の中で見るとぞっとするほど怖《おそろ》しい顔になるのである。いずれにしても、猫のアクビ顔を観察していても、ためになることなど何もない。全く猫ぐらい役に立たない動物が他にいるであろうか。犬は散歩を人間側に強要することによって、結果的に運動不足解消の役割を果たしてくれる。もしも泥棒が入ったら、とびかからないまでも、ウーッとうなるぐらいのことをしてくれるであろう。けれども猫は何もしない。アクビをしてこちらを小馬鹿にするか、あるいはじっと詮索《せんさく》しているかのどちらかだ。

猫はそんな時、いったい何を考えているのであろうか。こんな人間に自分を託していいものかと、こちらを観察しているような気もするし、「ま、仕方ないか」とすべてを諦《あきら》めているようにも見えることがある。

これは私の友人の話である。

彼女は三十代半ばのキャリア・ウーマンだ。給料も並の男性なんかよりもずっと貰《もら》っている。そうなると当然のことながら、並の男性など相手にしたくない。よくあることであるが、彼女は不倫をしていた。仕事先の男で、年齢は四十代始め、早くも部長職というエリートコースにのっかった男だ。

彼女は当時私にこう語っていたものだ。

「私はそこそこお金もあるし、マンションだって持ってる。お酒や食事に行くボーイフレンドにだって不自由していない。足りないものは何かなあと思ったら、セックスだけなのよね。足りないものを補うのはあたり前の話でしょう。だけどね、若い男のコと何かコトを起こすような馬鹿なことをしたくないわ。ラッピングされたセックスを楽しみたい。それには彼が最適なのよ」

彼にはもちろん妻子がいて、その写真を友人は一度見たことがあるという。まだまだ若く美しい妻と、そっくりの娘が写っている写真を見ても、彼女は少しも羨ましくなかったという。嫉妬《しっと》の感情が湧《わ》くかと思ったが、ぴくりともしなかった。

「こういうちゃんとした家庭があるんだなあと思って、すごく安心したの。これで私の生活の方に侵入してくることもないものね」

彼女はみじめったらしい男とつき合う、女の気持ちが知れないというのである。家庭もうまくいかず、仕事も諦めかけた男の、慰《なぐさ》めの対象などにされてたまるものですかとも言った。満ち足りた男が、さらに贅沢《ぜいたく》を求めて恋をしようと思う。そういうつき合いでなければいけないのだそうだ。

「でもそれって、本当に愛していないいんじゃないかしら」

私が言うと、彼女は意外そうにこちらを見た。

「あなたって作家のくせに、よくそんなことを言うわね。本当に愛してるのと、本当に愛していないのって、いったいどんな差があるって言うのよ。本当の愛情なんてものを口にしていいのは、十五歳以下の子どもだけよ」

そんな彼女が猫を飼っているのは本当に不思議であった。しかもペルシャとか、チンチラといったしゃれた猫ではなく、キジトラの元捨て猫の雑種であった。彼女はこの猫を「アリス」と名づけ、それはそれは可愛《かわい》がっていたのである。

六年前のことだったという。独身の女と捨て猫が出会う時、そこには必ずドラマがあるのであるが、彼女も例外ではない。その頃つき合っていた恋人(独身らしい)に送ってもらう途中、彼女は車の中で大喧嘩《おおげんか》をした。彼女の気の強さは昔からだったらしい。車の中で争いがあった場合、たいていの女は我慢して家まで行ってもらうのであるが、彼女はそうしなかった。いきなりドアを開けて外に飛び出したのだ。

秋のことで、月の綺麗《きれい》な夜だったという。男は追ってこなかった。彼女はタクシーを求めてひとり歩き出したのであるが、なかなか見つからない。恋人は抜け道を通ったため、中途半端《はんぱ》な住宅地の中に入り込んだのである。

友人は電信柱の住所表示から、ここが新宿からとても近いことを知る。それにしてはみすぼらしい町並であった。小さな公園を囲むようにして、二階建の木造アパートや中華ソバ屋が並んでいる。

彼女は何とはなしに公園の中を歩いた。都内の公園にしては珍しく、いちゃつくカップルもいなければ、ホームレスの男もいなかった。公園の真中にはブランコがあり、友人はそれに向かって進んでいった。その時、後ろの木陰から、小さな物体が姿を現したのだ。捨て猫というのはすべてそうしたものであるが、ネズミのように小さく痩《や》せた、それはそれはみじめったらしい猫であった。その猫は彼女を見て一声鋭く鳴いたのである。それはあきらかに抗議であり主張だったと友人は言う。

「ちょっとあんた、私を見捨ててこのまま行く気。そんなことをしたら、あんたはもう人間じゃないわよ、ってアリスは私に言ったのよ」

猫を飼っていない人間は、馬鹿らしいと笑うであろうが、私はよく理解出来る。猫というのは、ここいちばんという時、本当に人間と同じように喋《しゃべ》ることが出来るのだ。彼女は命令されるままに、その汚ならしい猫を抱いてタクシーに乗った。そして運転手に文句を言われた時から、彼女の受難は始まったといってもよい。押しつけようとした実家の母親に拒否され、結局は飼うようになるのだが、やがてマンションの管理人に見つかる。その頃には彼女と猫とは離れがたい関係になっていたため、彼女は大奮闘の末、分譲マンションを購入した。不倫相手と知り合ったのもその頃である。私にはよくわからないが、独身で自宅を購入する女は、八十パーセントぐらいの確率で妻子持ちとつき合う。どうやら自信と、ある種の諦念《ていねん》とが、そうした相手を選ばせるようなのだ。

「その最中、猫って見てるわよね」

ある日彼女が私に言ったことがある。その最中というのは、妻子がある男性と自宅でセックスをしている時間のことらしい。

「ふっと視線を感じて見るとね、アリスが部屋の隅とかタンスの上に乗っかって、じっとこちらを見ているじゃない。あれを見てると、ちょっと醒《さ》めた気分になる時もあるし、アリス、よく見てて頂戴《ちょうだい》っていう気分になる時もあるわ」

イヤらしいわね、と私は笑った。

「でも彼に見られたら大変ね。暗い中猫の光る目を見て、すっかり駄目になったっていう男の人を知ってるわ」

「それが不思議なことにね、絶対に彼から見えない位置にいるのよ。彼の背後にいて、私だけを見ているの」

それはもしかすると、と自己分析の好きな彼女は言う。

「私が苦しそうな声を上げたり、へんな格好をしているから、心配しているんじゃないかしらね」

いずれにしても、男のことで猫に心配をかけたくないわと彼女は笑ったものだ。その彼女が突然結婚すると言った時、私ばかりでなく、多くの人たちは驚いたものだ。相手は彼女より三つ齢下《としした》で、神主をしているというからさらに私たちは目を見張った。いずれ都内の神社を継ぐことになるのだが、父親が生きている間はサラリーマンと同じようなものだそうだ。友人は結婚を機に、東京は下町に引越した。もちろん猫も一緒である。

「やっぱり見るのよねえ……」

惚気《のろけ》話をしばらくした後、新婚の友人は言った。

「ひょっと見ると、分別くさい顔をして、やっぱりこちらを見てるのよ。あんたもいろんなことがあったけど、やっと落ち着いたなあって顔をしてるから……」

時々吹き出しそうになる時があるという。そんな時、夫は不機嫌にどうしたのかと聞く。彼女は何でもないと答える。

「猫って人間の弱味を握るの、本当にうまいわよね。猫に見られたぐらい、どうってことない。それがわかってるのにやっぱり気になるの」

ってことは、夫に惚《ほ》れてるってことよねと、彼女は照れくさそうに笑ったが、私は自分が猫だったら、そんな彼女の姿を見るのはやはり嬉《うれ》しいだろうと思ったものだ。彼女はもうじき母親になるが、猫はさらに喜ぶことだろう。私たちのそれぞれの人生をこれほど凝視してくれるのは、神と守護霊、そして飼っている猫ぐらいのものだ。

# お年玉をくれた人

たいていの子どもは、幼ない時まわりの人たちから大層愛される。多くの人に頭を撫《な》でられ、なんてよい子なんだろうかと賛《たた》えられる。それなのに大人になると、自分を愛してくれた人々の記憶はすっぽり消えてしまうから不思議だ。

それはもしかすると、私が生まれ故郷から離れ、祖父母や伯父叔母といった肉親の人々から愛された記憶がないせいかもしれない。他人から貰《もら》う好意というものにあまり縋《すが》ってはいけない、無邪気にそうしたものを信じると大変なめに遭うということを、私は子どもの頃から知っていたような気がする。

それは私が九歳になるかならないかの時だ。父が働いていた炭鉱が閉鎖されたのだ。昭和四十年代後半のことであったから、炭鉱不況などという言葉はとうに通り越して、細々と作業が続けられている状態であった。確かその地方では最後の炭鉱閉鎖ということで、たくさんの新聞記者やテレビ局の人が来ていたように記憶している。

父がもしやテレビニュースに映らないものだろうかと目を凝《こ》らして見たものだけれども、ヘルメットを被《かぶ》り黙々と鉱山《やま》に入っていく男たちの中に父の姿はなかった。

そして鉱山は閉じられ、町の商店は消え、友だちは散り散りになっていった。鉱山の子どもはすぐにわかる。大人になっていたとしても、私はすぐに見分けることが出来るだろう。ひとつの町が消滅してしまい、大人がいかに無力かということをさんざん見続けてくれば、心の中にどこか冷ややかなものが身につくのは当然のことだろう。

閉校式が終った後、私の担任の女の先生は目に光るものを見せながらこう言ったものだ。

「みんなはとっても淋《さび》しくてつらい思いをしたわけだけれども、このことは大人になって決して無駄にならないからね。あなたたちはみんな、すごく強くてやさしい大人になれるはずだからね。だから大人になったらみんな集まろうね」

この教師の言葉は、ただでさえ感じやすくなっている私たちの心を揺るがし、クラスの大半の女生徒がしくしく泣き始めたものだ。あれから二十数年がたつ。女教師の言葉はあまりあたらなかったといってもいい。三年前に同窓会が開かれ、参加した一人から連絡が来た。私たちのクラスにいた男の子が、覚醒剤《かくせいざい》の売人になり入牢《じゅろう》しているというのだ。サラリーマンでもたいして出世した者はいない。女の子はたいてい普通のおばさんになっていると、友人は電話を締めくくったものだ。けれども担任の教師はあの時嘘《うそ》をついたわけではない。ただ私たちを励まそうとしたのだ。消えていく町の子どもたち、生まれ故郷からいっせいに離れていく子どもたちに対して、彼女は精いっぱいのことをしただけなのだ。

私はたくさんの人々が同じ時期に引越しを始め、同じ日に駅から旅立つ光景を見た。

「ずっとずっと手紙を交換し合おうね」

という誓いを六人の友人とした後、私たち一家も列車に乗った。三時間ほど行って降りたところは海辺の町であった。ここにつてがあった父親は、知り合いの食堂に勤めることになったのだ。どういう約束だったのかわからないが、やがて老人の主人は店に来なくなり、私の父と母とが切りまわすようになった。食堂といっても定食か丼物《どんぶりもの》しか出ない。後は呑《の》んべえの漁師たちが、漁が休みの日、朝からビールを飲んでいるような店だ。決して上品な店とはいえなかったが、炭鉱町で荒らくれ男たちにはさんざん慣れているうちの両親は、すぐに客をさばけるようになった。勤勉な父は夜も必死で勉強して、すぐに調理師免許をとったから大したものだ。免許証を額に入れ、店のカウンターに高々と掲げた時の父の得意そうな顔を今でも憶《おぼ》えている。

が、うちの食堂が流行《はや》っていたのは、にわか板前の父の腕というよりも、母の魅力であっただろう。

子どもの私の目から見ても、母はなかなか美人であった。普通炭鉱町の女房といえば身なりに構わないものであるが、母はいつも資生堂ドルックスシリーズの乳液を肌にぺたぺたつけていた。若い頃《ころ》は東京へ行って歌手になりたかったのだと言ったことがあるけれども、案外本当だったかもしれない。

食堂のおばちゃんになってから、母はますます綺麗《きれい》に若くなった。おばちゃんといっても、十九で私を産んだ母は、まだ三十になるかならないころだろう。いつも髪をスカーフで巻き、花模様のエプロンをかけては、くるくると動いていた。そしてカウンターの前で後ろ向きになると、卵色のスラックスにくるまれた尻《しり》が丸見えになった。酔った男たちが手を触れようものなら、ぴしゃりと叩《たた》き払って、そんなことをするのなら帰って頂戴《ちょうだい》というのが常だった。

どうしてそんなことまで子どもの私が知っているかというと、浜の通りに面した小さな食堂は店と住居がガラス戸一枚でつながっていたからだ。夏などはその戸を開け放しにしておく。するとテレビのある小さな茶の間は店から丸見えになった。父は注文の小鉢をつくるついでに、隣りのガスコンロで私の夕食の魚を焼く。そしてひょいと茶の間のちゃぶ台に置く。厨房《ちゅうぼう》を境に、私の食事をするちゃぶ台と、男たちが酒を飲みかわすカウンターとは向かい合うことになる。

炭鉱の子どもと同じように、食堂の子どもというのも、変わった場所に身を置くことになる運命だ。大人というものがどういうものかよく見えるし、その人々の野放図な好意をふんだんに浴びて育つことになる。おそらく私は、普通に育った子どもの十倍は頭をなでられたことであろう。二十倍以上、他人から名前を呼び捨てにされた。そして五倍はお年玉を貰ったはずだ。

あの頃、私の住んでいた漁師町は大層景気がよかった。何でも海流が変わり、昔は獲《と》れなかったような高級魚がどんどん網にかかってくるようになったというのだ。うちの店は元旦《がんたん》も開けた。するといまい酒に酔った男たちが昼から集まり、一級酒の栓がさらに何本も抜かれるのだ。

「おい、ミチコ」

私は彼らから、自分の娘のようにぞんざいに呼ばれていた。

「お前にお年玉をやるぞ」

皺《しわ》くちゃになったのし袋を懐《ふところ》から取り出し、これ見よがしに財布を拡《ひろ》げた。この町の男たちは、都会の人のようにあらかじめ金が入った袋をさりげなく取り出したりはしない。芝居っ気たっぷりに財布から、金をゆっくりと取り出すのだ。百円硬貨が幾《いく》つか、あるいは五百円札、ごくまれには千円札があった。

そういう時、母親は短かく礼を言った。

「あれ、悪いね」

正月のこととて、母はスカーフをはずしている。母がいつもきっちり巻いているスカーフをはずすのはこの元旦だけだったから、男たちはまぶしそうに眺めている。母は暮れのうちに、美容院に出かけていた。パーマ代を節約するためだったのか、それとも流行だったのか、母はとてもきつくパーマをかけていた。あの頃の女がよくそうしていたように母は髪を赤く染めていたから、異国の仏像のように見える時もあった。だからといって母の美しさが損なわれるわけではない。

母は眉《まゆ》を半分剃《そ》って、ちょっと不自然なほど細くペンシルで描いていた。すると母はいかにも勝気な鉄火肌の女に見えるのだ。あれは海辺の町に引越して三年めの正月のことだったろう。正月といっても三日を過ぎた頃だったかもしれない。曇った寒い日で、灰色の海は波音が高かった。カモメも細く細く鳴いている。

私は新調してもらった紺色のオーバーを着て、同級生のうちから帰る途中であった。離職した炭鉱夫の子どもであり、やがて食堂の子どもになった私は、人間関係がとてもうまかったはずだ。如才なくクラスの中で振るまい、ちょっとした道化役さえつとめることが出来た。幸い私は母親似の整った顔をしていたために、単純で善良な漁師町の子どもたちは、たやすく私を受け容《い》れてくれたものだ。もし私が劣った容姿の少女だったら、彼らはすぐに私のあざとい企《たくら》みを見抜いたに違いない。

とにかく私はその日の午後、ひとりで浜辺の道を歩いていた。もう夕暮れが近く、海の灰色はその濃度を強めていった。こんな時、私は自分が生まれ育った炭鉱町のことを懐《なつ》かしく思うのが常であった。あそこは海の替わりにボタ山があり、山はそのやわらかい曲線のため冬でも暖かい風景をつくるのだ。

向こうから男がゆっくりと歩いてくるのが見えた。その道はほとんど一本道といってもよい。それなのにふと顔を上げると、男は突然私のすぐ前を歩いていたのだ。私はその男の名前を知っていた。うちの食堂に来る人たちが高橋さんと呼んでいるのを耳にしていたからだ。この界隈《かいわい》で〝さん〟づけで呼ばれるのは、お医者さんか郵便局の局長ぐらいだ。その高橋さんというのは、網元といってこのあたりでいちばんの金持ちだと誰かが教えてくれた。

高橋さんは時たま白いクラウンに乗ってうちにやってくる。かなり飲んで帰るから本当は酔っ払い運転ということになるが、高橋さんは金持ちだから警察もつかまえないということだ。高橋さんが店の中に入ってくると、他の男たちはとたんにおとなしくなり、酌をするために立ち上がる。高橋さんはうちでめったに出ないような一級酒を持ってこさせ、皆に振るまったりすることもある。隣りのもっと大きな町にあるバーや料理屋の常連である高橋さんが、どうしてこんなに汚ない食堂に来るのか父は不思議がっていた。

「よお、ミチコ」

高橋さんから呼び捨てにされると、私はちょっとこそばゆい気分になった。私はことさら丁寧に頭を下げた。

「あけましておめでとうございます」

二十年前は、子どもでも正月にこうした厳粛さを持っていたのである。

「おお、おめでとう」

彼は満足気に頷《うなず》き、その後他の大人たちと全く同じことを口にした。

「お前にお年玉をやらなきゃいけんな」

高橋さんはオーバーの懐から財布を取り出した。それは大層品の悪いワニ皮であったが、いかにも金がぎっしりと詰まっていそうであった。高橋さんはお金持ちだったが、さすがに漁師町の男らしく節くれだった黒い手をしていた。その手にワニ皮はとても似合っている。まるで自分でアフリカに行って獲《と》えたみたいだと私は思った。けれどもすぐに私は声を失なった。なんと高橋さんは一万円札を取り出したからである。

二十年以上前の話である。私は最初高橋さんが冗談を始めたのかと思った。

「ミチコはよくお母ちゃんの手伝いをするからな、ご褒美《ほうび》をやらなきゃな」

金額はまるで違っていたけれども、小さなのし袋は、他の漁師たちと同じように皺くちゃだったことを今でもはっきりと憶えている。

「どうもありがとう」

私は全く躊躇《ちゅうちょ》しなかった。お年玉は子どもが受け取る当然の権利なのだ。どれほど大金であろうと、手の中に入れたら完全に私のものになる。遠慮することはないのだ。

私は高橋さんに向かって深々とお辞儀をし、そしてついでにぴょんと跳ねた。しかし昔の子どもにとって、お年玉は自由にならないものであった。

「ミチコのために貯金してあげるんだよ」

という名目のために大半は取り上げられたものだ。けれども昔の子どもは親に対してとても従順であったから、隠しごとをせずに親に差し出したものである。

家に帰るとちょうど母が裏口から出てきた。青いポリバケツに魚の内臓を入れるところであった。

「お母さん、これ……」

私はお年玉袋をポケットから出して見せた。それは私の体温で生温かく、さっきよりもずっと皺くちゃになっていた。

「高橋さんのおじさんがこれくれたよ。一万円も入ってるんだよ」

母の顔色がさっと変わった。

「まあ、このコったら……」

突然私を睨《にら》みつけたのである。

「どうしてそんなものを貰《もら》うの！」

私は驚愕《きょうがく》した。子どもがお年玉を貰うのはあたり前のことではないか、私がいったい何をしたというのだろうか。

「イヤだよ、高橋さんがこれくれたんだ。ミチコがお母さんの手伝いをするご褒美だって」

間接話法の〃お母さん〃という単語がますます母を刺激したようだ。母は私の手からいきなりお年玉の袋をもぎ取り、低い声で言った。

「これはお母さんから返しておく。それからこのことは絶対にお父さんに言うんじゃないよ」

お年玉というものは、決して無条件に貰うものでないことを、私は初めて知ったのだ。

　あれから歳月が流れ、私は二児の母親となった。今年の正月、私は七歳になる次女をひっぱたいた。夫の部下の女からの、三万円というお年玉はいかにも不自然であった。

「ナミにくれたんだ。それをどうしてママが取っちゃうの」

「いいの、これでいいの。ママからあのお姉さんに返しておきます。そうしなくっちゃおかしいの」

　私が何も知らないと思い、それが小面憎《こづらにく》くなってか、彼女は時たまサインを送ってくる。相手の子どもなど嫌悪《けんお》の対象以外の何ものでもないくせに、人はあの時過剰な好意を示す。それが年に一度のお年玉なのである。

# ガーデンパーティー

あの時、私はほとんど生きている、という感じがしなかった。

何を食べても、何を見ても、心はふわふわとしていて、自分の体にしっかり据《す》わっていないという感じだった。三十三年間の人生のうちで、私はあれほど人を憎んだこともないし、悲しみにうちのめされたこともなかった。

夫に愛人が出来、そして私は捨てられた。ひと言で言えばこういうことになる。けれども四年間に起きたさまざまなことは、十冊の本にしても書き尽くせないし、十日間喋《しゃべ》り続けてもとても言い尽くせないと思う。

夫も苦しみ、私も苦しんだ。そしてこの苦しさから何とか逃れようと、私は夫を傷つけることを始めた。自分の体からどうしてこんな声が出てくるのだろうかと驚くような罵声《ばせい》を浴びせ、そして凶暴な力に揺り動かされて夫の胸ぐらをつかんだ。その時、彼はいっさい抵抗をせず、ただ目を伏せた。

「自分が悪いのだ」

とつぶやくだけだった。そして彼は、罪人を裁き、拷問《ごうもん》する役人の役を私に与えたのだ。そしてひたすら私に耐えようとした。夫はまだいい。耐えることはたやすいことだ。耐えなければならない存在にされた、私の苦しみやつらさは、おそらく想像も出来なかったろう。

「もういいじゃないか。もうやめなさい」

最後に父が抱き締めてくれた時、私は号泣したものだ。激しく泣き続けた。傍《そば》で母も泣き、夫の悪口を大声で言い始めた。

「もうやめなさい」

と父はそれを制した。

「そういう男を選んだ美奈子《みなこ》もいけないんだ。男の価値を見抜けなかった美奈子が馬《ば》鹿《か》だった。だけどもういい。もうやめなさい」

それですべてが解決したわけではなかった。けれど私は、大きなものに守られているのだということがわかった。この世に、私のことを絶対的に愛してくれる人がいるのだという思いは、どれほど救いになっただろうか。

事実父はさまざまな楯《たて》になってくれたばかりでなく、太い矢にもなってくれた。夫にかけあって慰謝料をとり、引越の手はずもすべて整えてくれたのだ。やり手の弁護士さんは、相手の女性を「妻の権利を侵害した」ということで訴えることも出来ると教えてくれたらしい。けれども父は、そんなことをする必要はないと即座に断わった。そして離婚届けを出した後、私を前にこう言ったのだ。

「慎一君を恨んで憎む人生は、これでもう終わったんだ。これからは自分の幸せのためにだけ生きなさい。そのためにはどんな手助けもしてやるつもりだよ」

一ヶ月近くヨーロッパをまわってこられたのも父のおかげだ。少々名を知られた企業の役員をしていたからといっても、引退後の収入など知れているだろう。弟の結婚も控えていたというのに、とにかく父は私に惜しみなく金と愛情を注いでくれたのだ。

そして離婚から一年半がたとうとしていた。私は友人の経営するブティックを手伝うようになった。英文科を卒業したといっても、一年足らずで結婚した私は、働いた経験など無いに等しい。父の手から、夫になる男の手へと渡された本当に甘ちゃんだったのだ。けれども想像していたよりも仕事は私に合っていた。そのブティックはホテルのアーケードにあり、外人の客がふらっと立ち寄ることも多い。洋服や小物の他に、オリエンタル趣味のスカーフや風呂敷《ふろしき》も置いていたからだ。そこそこ英語の出来る私は、重宝がられてパートのはずがいつのまにかフルタイムで働いている。階上《うえ》のスポーツクラブに通う、裕福な女たちの中には、私の客になってくれる者たちも何人か出来た。私が生まれも育ちもそう悪くなく、もしかすると自分たちの階層にひっかかっているかもしれないとわかってから、妙に狎《な》れ狎れしく接してくる女もいる。私は彼女たちと時々食事をしたり、酒を飲むようになった。一泊の小旅行にも出かけたこともある。そういう女たちはたいてい夫の不実に悩んでいるから、私のことも人ごとではない。

「私だって、いつ美奈子さんのようになるかわからないわ。私もお勤めの経験なんてないけど子ども抱えてるから、店員になるしかないかもね」

これはかなり侮辱的発言かもしれないが、私はそう腹が立たなかった。私の不幸というものがそう特殊なものではなく、世間によくあるらしいことがわかっただけでも慰めになった。そして幸福と不幸というものが、ほんの紙ひと重だということ。私たち女というのは、そのすれすれのところで生きていることを知っただけでも、私はどれほど安らぎを得ただろう。

そう、私は立ち直ったと信じていた。みじめなやり方であろうと、なんとか自分をだましだまし生きていくすべを手に入れたと思っていた。そしてその錯覚は、小口麗子から電話があるまで続いたのだ。

幸福な妻というのは、他人にやさしい。少なくとも不幸な妻よりも、ずっと思いやりがあるだろう。けれどもそのやさしさがさまざまな思惑を生み、その思惑が積み重なると全く無意識の悪意というものになるとは気づいていないはずだ。

小口麗子はやさしい女だった。彼女は黙っていることも出来たのだ。けれども彼女は考えに考えた末、そうすることは私への裏切りだと思ったに違いない。

ある日、彼女からの電話がかかってきた。麗子は夫の友人の妻で、私の出た女子大の二つ後輩だった。そのせいもあって、私と夫がうまくいっていた頃は、二組の夫婦でよく食事をしたり酒を飲んだものだ。けれどもそんな生活も三年足らずで、私の夫には愛人が出来、麗子には子どもが出来た。古めかしい言い方をすると、二組のカップルの明暗ははっきりと分かれたのだ。

けれども麗子は、私と縁を切ることはなかった。夫に背かれた女ならみんな経験することだろうけれども、不仲の噂《うわさ》が立つと多くの人が遠ざかっていく。不実なためだけではない。夫に見捨てられた女に、どんな風に接していいのかわからないのだ。気を遣ったり、相手を傷つけるのが嫌なために、みんなもっと気楽な方へと行ってしまう。私と夫とは恋愛期間も長かったために、カップルでつき合うことが多かった。私自身も、そのことを都会的でしゃれていることとして好んだところがある。そのことが後に、どれほどの哀《かな》しみを私にもたらしたことだろう。私の人間関係は夫とのつがいで成り立っていたため、片方が消えてしまうと、もう役に立たなくなったのだ。

けれどもそんな中にあって、麗子はさりげない調子で電話をかけてきたり、食事に誘い出してくれた。話題も夫のことを避けるのでもなく、本当に自然に舌にのせたりする。

「うちの夫も慎一さんも、この頃釣《つ》りに凝ってるのよ。あれってじっとしていなきゃいけないから、とてもあの人たちの好みじゃないと思ってたんだけど。やっぱり年のせいかしらね」

それも彼女の思いやりだったに違いない。それでは私のところへ電話をかけさせたものは、いったい何だったのだろうか。おそらく彼女は、伝えるべきか伝えないべきか悩んだのだろう。そして伝えることが、私への思いやりと判断した。けれどもそれは彼女の初めての失敗であった。いずれ私はそのことを知っただろう、けれども伝える人間は、麗子ではいけなかった。なぜなら私は伝達者である彼女を激しく憎むようになったからである。

「こんなことってある！」

彼女はまず叫んだ。それは自分は加害者の側ではなく、私と同じ怒りと哀しみを共有するものだと宣言するかのようであった。

「慎一さんが披露宴を挙げるらしいの。あんなことがあった後なんだから、ひっそり入籍するのがふつうよね。それなのに流行のレストランで、ガーデンパーティーを開くっていうんだから驚くじゃないの」

その時私の頭をすごい早さでかすめたものは、あの女のウェディングドレス姿ではなかった。タキシードの花婿《はなむこ》姿の慎一だったのだ。私の時よりも少し老《ふ》け、そしてはるかに幸福そうな笑顔を浮かべている男。そして私はここまでは耐えられた。充分に予想出来たことだからだ。けれども麗子はこの後、私を別の女に変えた。

「ね、怒らないで聞いて頂戴《ちょうだい》。私は全然知らなかったことなのよ。うちのバカ亭主たちったらみんなで発起人になって、大パーティーにするって張り切ってるのよ。みんな美奈子さんのことをよく知っている連中じゃないの。あんまり無神経だから、私、もう怒っちゃったのよ」

この後、私はしばらくぼんやりしていた。幾《いく》つもの場面が次々と映画のコマのように現れていく。それは私の幸せな時の場面だ。有名私立大でラグビーをしていた夫は、仲間同士の結束が嫌らしいほど強い。「ホモ軍団みたい」と、私はからかったものだ。社会人になってからも定期的に飲み会を開き、それ以外にもお互いの家を行き来した。麗子の夫もそうした仲間の一人だったのだ。

三、四人でやってきては、私と慎一が同棲《どうせい》しているマンションでさんざん飲んだのはつい最近のような気がする。ふつうの飲み方ではない。三人でビール一ダースの他に、ウイスキーの瓶を二本ぐらい空けたと思う。そのために私はしょっちゅう実家へ帰り、中元や歳暮の品を貰《もら》って帰ったものだ。けれども彼らが来るのは本当に楽しかった。酒がまわると、彼らはラグビー部伝統の「ゴリラ踊り」を始める。上半身裸になり「ホイサ、ホイサ」と、太い声を出し行進をするのだ。

「美奈ちゃんも一緒に踊ろうよ。さ、脱いで、脱いで」

誰かがふざけて手をひっぱると、慎一が「オレの彼女に何をするんだ」とわざと怒鳴る。そして取っ組み合いの真似《まね》ごとをするのだ。明け方まで宴会をした次の日は、必ずといっていいほど管理人から電話がかかってきた。たいていにしてくださいという苦情だ……。

「じゃ、いいのね」

えっと私は言った。麗子の話を全く聞いていなかったのだ。

「案内状をファックスしようかって言ったら、今、美奈子さん、お願いって。でもやめとこうか」

「いいの。見せて頂戴よ。やっぱり興味あるし」

なぜか冷静に返事をした。後で私はそのことをどれほど後悔しただろうか。送られてきた案内状のコピーには、こう書かれていたのだ。

「瀬本慎一君と名取香子《きょうこ》さんとが、数々の苦難の末、やっと結ばれることになりました」

しばらく震えが止まらなかった。私はいつのまにか「苦難」にされていたのだ。愛し合う二人の前に立ち塞《ふさ》がる障害、それが私だったのだ。私の苦しみ、私の涙は、いつのまにか悪役のキャラクターの小道具にされていたのか。

私は生まれて初めて歯ぎしりということをした。送られてきた紙を思いきり破ったのだが、コピー紙はあまりにも頼りなく、ずれた力で肘《ひじ》がにぶく痛んだ。

あの男たちを絶対に許さないと思った。慎一の親友と称する仲間たちだ。一緒に酒を飲む時「美奈ちゃん」と親し気に私のことを呼んだものだが、今度はそれがあの女の名に変わるのか。そしてあの女のところでビールを飲み、手料理をつまむのか。私のスペアなどいくらでもきくと思っているのか。

慎一も許さないし、あの女も許さない。けれどもそれ以上に、パーティーに集まる人間が私は許せない。みんな私の知っている人間ばかりのはずだ。誰ひとりとして私に同情してくれる人はいないのか。憤《いきどお》って欠席してくれる人はいないのだろうか。

私はくずれおちるように床に座った。さまざまな復讐《ふくしゅう》の案が浮かんだ。どうにかして調理場にもぐり込み、みなが食べる料理に毒を盛る、ウェディングケーキの台の中に、私が密《ひそ》んでいるのはどうだろうか。それとももっと簡単にただ出席するという手もある。じっと片隅に立ち、来た人の顔を凝視する。中に入れてくれなくてもいい。入り口のドアのところで同じことをすればいいのだ。

そして私は次々にいろいろなことを思いつき、そのアイデアにひとり興奮した。この興奮は昏《くら》い方、昏い方へと私を連れ出していった。けれど私が何ひとつ実行に移せないと判断したのは、両親がどんなに悲しむだろうという想像力だけだった。この健全な想像力が、私の妄想にうち勝ったのは本当に不思議だ。

けれどもファックスを受け取ってから一ヶ月後、私は青山に出かけた。案内状には地図がついていたから、その店はすぐにわかった。骨董《こっとう》通りを一本住宅地に入ったところにあるレストランだ。昔は大金持ちの邸宅だったところを直し、今はガーデンウエディングが出来る店として大人気と、インターネットには出ていた。

風がまだ冷たいからランチは中で、というウェイターの言葉を無視して、私はテラスで昼食をとった。前菜と魚料理、肉料理にデザートがついていたが、私はほとんど食べなかった。

コーヒーを飲み終ると、私は芝生《しばふ》の上に立った。桜の木を見るふりをして、私はそこに佇《たたず》んだ。二日後、ここで慎一の披露宴がある。天気予報どおりならばたぶん快晴だろう。花嫁と花婿はここを歩く。出席者たちも歩く。笑いさざめきながら写真を撮ったりする。私は両足に力を込めて踏んばった。これほどの憎しみから何も生まれないはずはなかった。私の心から出た毒は、体を通り足を抜け、この芝生の土に浸み込んでいくはずだ。

「みんな不幸になれ」

私はつぶやいた。

くもり空で、鋭い風が一陣吹き抜けた。それは呪《のろ》いの場にふさわしい風であった。

# 姉の幽霊

「なっちゃん、なっちゃん」

細い細い声だった。

ああ、お姉ちゃんが呼んでいるなあと思った。私は夢を見ているのだ。死んだ姉が恋しくて、呼びかけられている夢を見ているのだ。

姉が死んでからというもの、私はほとんど寝ていない。ショックもあったけれども、死者を弔《とむら》うための煩雑《はんざつ》な用事は次から次へと降りかかってきて、私から悲しむ時間さえ奪っていった。昨日《きのう》告別式を済ませ、ようやく自分のベッドで横になったところだ。今夜も眠ることは出来ないだろうと思っていたのに、連日の疲れでうとうとした。そしてまどろみに入るとろりとした瞬間、姉に対して口にしたひどい言葉をふたつみっつ思い出し、私は初めて涙を流した。ああ、姉は死んだのだ。もう謝ることは出来ないのだと思った時、私はやっと泣くことが出来た。泣きながら寝て、そして姉の声を聞いたのだ。

「なっちゃん、なっちゃん……」

私を呼んでいる。死者になった姉が、黄泉《よみ》の国から私を呼んでいる。もちろん私の幻覚なのだが、声が聞こえる。私はうっすらと目を開けた。確かに幻覚だ、ベッドの傍《そば》のスツールに、姉が座っているのだから。

私は目を凝《こ》らした。それは私の幻覚ではなく幽霊であった。幽霊を見るのは初めてだったけれどもすぐに幽霊だとわかった。なぜならば、姉の姿は白く透けて、輪郭がぼやけていたからだ。怖《おそろ》しさのあまり、私は少し失禁してしまった。

「なっちゃん、あのね……」

姉はこちらを見ている。姉は五十二歳だったが、生きていた時よりもはるかに若く見えた。その目は穏やかだ。私は少し落ち着きを取り戻した。姉の顔はやさしげだったけれどもとても悲しそうで、悲鳴をあげたりしては絶対にいけないと思ったからだ。いま恐怖におびえたり、逃げ出したりしたら、姉はどんなに傷つくだろう。死者を傷つけては絶対にいけないと思った。

「なっちゃん、そんなに怖がらないで……」

「別に、怖がってないわ……」

「だって、すごくおっかない顔をしてる。そうか、私、幽霊になったんだわ」

これには返事が出来なかった。

「私、死んだのね……」

ぽつんと言った。そうね、と答えることも出来ず私はうつむいた。

「死んだの、いつ……」

「四日前よ。昨日が告別式だったの」

「そうなの。告別式をしたんだァ……」

最後の〝だァ〟と語尾を伸ばすのは姉の口癖で、私はとっさに反応してしまった。

「人はあの世に行くと、自分のお通夜《つや》や告別式を、上からじーっと見ているっていうわ」

「人にもよるんじゃない」

この〝〇〇じゃない〟と、独得の節をつけるのも姉のいつもの口調だ。

「私ね、なんだか明るいもやもやしているところにいたの。だけどどうしても、なっちゃんに話したいことがあって、そのことばっかり考えてた。そして気がついたらここにいたのよ。私、自分が死ぬなんて思ってもみなかったから、びっくりしたのよ」

「私だって、そりゃびっくりしたわよ。ハルちゃん、心臓が悪いなんて、私に言ったことないじゃないの」

「あら、知らなかった？　死んだお父さんは、先天性の心臓弁膜症だったのよ。手術しよう、なんて言ってる間に、ガンで逝《い》っちゃったけど」

「そうだったの」

いつのまにか姉妹の会話に戻っている。心なしか白くぼんやりとしていた姉の姿が、会話をすることによって、強くはっきりしてきたようだ。

「この頃ね、階段上がるたびに胸が苦しくなって、ちゃんと治療を受けようと思ってた矢先だったのよ。でもね、まあすぐにどうっていうことはないって、太田先生はおっしゃってたし」

「あんなヤブ医者のいうこと信じちゃダメよ。ハルちゃんさ、この四年ぐらい人間ドックも受けてなかったでしょ。私、ハルちゃんのお通夜の時、宇都宮のおばさんや、馬込のタケシちゃんたちになじられたわ。どうしてちゃんと気づかってやらなかったって……」

「ごめん、ごめん。泣かないでよ。私がいけないの。私が自分の体をちゃんと管理出来なかったのがいけないのよ」

それでと、姉は口ごもった。

「あの人、告別式に来てくれたかしら。私の」

「告別式はいらっしゃらなかったけど、お通夜はちゃんと最後まで参列なさってましたよ」

私が皮肉っぽく敬語を使っていたのには理由がある。あの人と呼ぶのは、姉の二十数年来の愛人の深沢《ふかざわ》のことだ。彼は戦前から続く有名な出版社のオーナー社長である。いや、五年前に長男に社長職を譲り渡し、会長職に就いたと聞いている。いずれにしても私の知るところではない。姉がずっと愛人の立場でいることは、私たち家族をどれほど悲しくさせ、苦しめてきただろうか。大学を出たばかりの姉は、秘書として彼に仕えていたのであるが、すぐにそういう仲になった。当時深沢は四十代で、当然妻も子どももいた。本当だったらかなりのスキャンダルになってもよかったのであるが、なにかと寛大なマスコミ業界だったということと、何よりも、姉が本気で深沢に惚《ほ》れていたため、すべてがうやむやになってしまったのだ。両親の怒りや懇願《こんがん》も無駄だった。姉は退社をし、ひっそりと愛人生活に入ったのである。最初のうち、深沢から月々のものを貰《もら》っていたらしいが、やがて姉が断わった。妹の私からみても、プライドがやたら高く、鼻っぱしらの強い女であった。そんな姉がどうして、二十数年も愛人を続けていられたのか不思議でたまらない。一度ゆっくりと聞いてみればよかったのであるが、姉も話さず、私もあえて彼女の心の中に踏み入ろうとはしなかった。身内の色恋沙汰《ざた》について聞く照れもあったし、愛人をしている姉への反撥《はんぱつ》もあった。騒動が起こった頃、私は生意気な女子大生だったので、ますます姉のことが許せなかったのだ。以前のようにつき合えるようになったのは、この十年ぐらいのことかもしれない。

仏文科を出ていた姉は、家でフランス語を教えるようになった。それだけでは食べていけないので、お菓子の教室を開いたところ、こちらの方がはるかに才能があったらしい。姉はこの年齢には珍しい帰国子女だったし、まあまあの美人だったので、「本場フランス菓子を教えてくれる素敵なサロン」として、マスコミにも大きくとり上げられるようになった。もちろん深沢のところからではないが、お菓子の本を三冊出したぐらいだ。

両親は数年前、相次いで病死したが、その前に姉と交した会話を、私はよく憶《おぼ》えている。

「私は、ずっと父さんたちから言われてきたような、妾《めかけ》や愛人じゃないの。ちゃんとひとりで生きている女で、そのうえで深沢さんとおつき合いをしているの。そのことだけはわかってほしいの」

「何をたわけたことを言っているんだ」と父は怒鳴った。

「女房《にょうぼう》と子どものいる男とずるずるつき合って、もうお前は四十代のばあさんだ。目を覚ませとは言わん。目を覚ましたってもう取り返しがつかんだろう。だけどえらそうなことを言うのだけはやめるんだ」

姉は春子、私は奈津子《なつこ》とやや凝っている。両親はこの後二人子どもをつくり、出来たら秋彦、冬樹などという男の名で四季を揃《そろ》えるつもりだったらしい。けれども私たちの後、弟も妹も生まれることなく、二人だけの姉妹として生きてきた。父は九州の旧家の出で、高い学歴を持ちながら「子孫繁栄」という四文字が、ついに頭から拭《ぬぐ》いきれない男であった。けれども私たち姉妹は、見事にその思いを裏切った。姉は妻子ある男の愛人として生きたし、大学を卒業するやいなや、同級生と結婚した私は、子どもをつくらないまま十年後に別れた。父と母には孫の顔をついに見せてやれなかったと、センチメンタルなことを考えたのは、姉の通夜の日だ。

ふだんの私だと「血を残す」「家の跡継ぎ」などという言葉に嫌悪感《けんおかん》を持つはずなのであるが、私ひとりが残ったのだとしみじみと思い、ああ、私の家は滅び消えていくのだという考えにとらわれたものだ。

「あっちで、お父さんとお母さんに会えた？」

私は姉の幽霊に問うてみた。両親はあまりにも早く、愛娘《まなむすめ》と再会出来たことを決して喜びはしないだろう。

「それがね、まだあちら側には行っていないのよ。ただオレンジ色のふわふわしたところを浮いていたような感じよ」

「ちょっと待って。私、何かスピリチュアル系の本で読んだことがあるわ。まだ霊がこの世の近いところに存在している場合、急に息を吹き返すってこともあるって。私、ハルちゃんの体、焼いちゃったわ。もしかするとものすごく悪いことをしたのかもしれない」

「そんなことないったら」

姉はあっさりと言った。

「もう自分が死んだっていう感じはあるわ。うまくはいえないけど、生きてる時とはまるで違うもの」

「ふうーん、そういうもんなの」

「そうなの。だけどね、まだこっちの方ともつながるってわかった時、私、気がかりなことを幾《いく》つも思い出したの。それでどうしてもなっちゃんに話しておこうと思って」

「預金のことかしら。これから調べるつもりだけど、ハルちゃん、思ったよりも稼いでたのね。でも税金がかなりかかるから、残ったものなんかしれてるわ。しがないバツイチ女にはすごく助かるけど。気がかりなことって何？　私、ハルちゃんの墓石代ケチるようなことしないつもりよ。ま、父さんと母さんのところに入ってもらうから、墓石はつくらないの。だけどね、見てもらえなくって残念だけど、お通夜も告別式も結構張り込んだのよ。お鮨《すし》も並じゃなくて、上にしたわ」

「なっちゃん、相変わらず早呑《の》み込みね」

姉は深いため息をついたが、白く透けているので、その姿はかなり迫力があった。

「私が気になって、気になって、戻ってきたのはそんなことじゃないの。あのね、なっちゃん、私のマンション、そのままにしてあるのね」

「そう。来週からでも、伊藤さんと三田さんに手伝ってもらって整理しようと思ってる」

伊藤さんと三田さんというのは、姉のお菓子サロンのマネージャーの女性たちだ。彼女たちも姉を失なってまだぼんやりしている。サロンの方の整理はこの二人に任せるつもりだ。

「お願いだから、あの二人を私の寝室に入れないで」

「わかってるわ。見られて困るものがあるんでしょう」

「そうなの。あの朝、まさか自分が死ぬなんて思いもしなかったから、見られたくないものをいっぱいそのままにしてきたの。そう、寝室に入る前に、洗たく機の中で水に浸けてあるものを片づけて。あのね、生理で汚した下着とシーツがあるの」

「あら、ハルちゃん、五十過ぎてもまだ生理があったの」

「失礼ね。たいていの人が五十一、二まであるわよ。だけどね、終わり頃は周期がめちゃくちゃになって、いきなり出るから、白いパンツなんてはけないのよ」

「あら、そうなの」

五つ違いの私は少し嫌な気分になった。

「寝室の左手にクローゼットがあるけど、中に引き出しがあるの。いちばん上は宝石が入ってるけど、たいしたものはないわね。深沢からもらったダイヤのリングと、私の誕生石のサファイアのネックレスぐらい。なっちゃんがつけてくれたら嬉《うれ》しいわ」

「ありがとう」

「それとね……」

姉は声を落とし、輪郭が少々ぼやけた。

「その下の引き出しに、いわゆる大人のおもちゃっていうのかしら、バイブレーターが入ってるんだけど、それを大急ぎで捨てて。これがいちばん気がかりだったの。もし伊藤さんたちに見られたらと思うと、死んでも死にきれないの」

なるほど、死んでも死にきれないというのは、こういう場合に使うのかと私は感心した。それにしても、時たま新聞の文化欄や経済欄で見かける、あの端整な顔立ちをした老紳士が、バイブレーターを使っていたとはあまり考えたくない話だ。いや、まさか姉がひとりで使っていたのではあるまい。

「あんまり深く考えないでね」

姉はこちらの心を見透かしたように言う。

「深沢がどこか地方に行った時、誘われて店に入って、引っ込みがつかなくなったんですって。面白半分に買ったものなのよ。よくあることじゃない？　お願いだから早くこっそりと始末して」

わかったわと答えながら、私はベッドサイドのチェストを目で追った。ベッドの傍の引き出しの中には、たいていの場合、女が絶対に見られたくないものが入っている。私もそうだ。使いかけの避妊具の箱、三年前別れた男がふざけて撮った、半裸のポラロイド写真、卑猥《ひわい》な言葉が綴《つづ》られたラブレター、もう使うことはないと思う、古いタイプの妊娠検査薬、捨てるタイミングを逃したさまざまな私の秘密だ。私がたった今、姉のように心臓麻痺《まひ》を起こして息たえたら、いったい誰がこの引き出しを開けるのだろうか。

私には子どもがいない。甥《おい》や姪《めい》もいない。年の離れた従兄《いとこ》がひとりいるだけだ。六十近い彼が、この引き出しや、私の下着の入ったクローゼットを開ける光景を想像して、私は心の底からぞっとしてしまった。

「私は絶対長生きするわ」

思わず口に出してしまった。この頃、心の中のつぶやきだったはずが、無意識に言葉となって出てしまうことがある。

「そうよ、なっちゃんは大丈夫。ものすごく長生きするわよ。死ぬ間際《まぎわ》まで健康でね」

「そんなことわかるの」

「今、なんとはなしにひらめいたのよ。もう死んだ者のひらめきだから、たぶんあたっていると思うわ」

姉は微笑《ほほえ》んだ。

「それからね、どうしても気になって、気になって仕方ないことがもうひとつあるの」

「それって、深沢さんのことでしょう」

姉と同じように、私も次第に勘が冴《さ》えてきた。

「そうなの。こんなことを言うと、またなっちゃんに軽蔑《けいべつ》されそうなんだけど、深沢にどうやら愛人がいたらしいの」

「え！　あの人ってもう七十二か三のはずでしょう」

「七十二歳よ。年よりもずっと若く見えるから、ちょっと見はせいぜい六十代前半よ」

「そうかなあ……」

私は深沢の薄くなった白髪頭を思い出した。何度か食事に誘われたが、彼と個人的に会うことは一度もなかった。新聞や雑誌で見るだけだが、年相応の老人という感じである。

「それでね、なっちゃんお願いよ。相手の女の人がいくつぐらいで、どういう人か調べてほしいのよ」

「そんなの、あの世から眺めててわからないの」

「だから言ったじゃないの。まだ私、あっちの方へ行っていないのよ。もうちょっとしたら、成仏《じょうぶつ》というのをして、あちらの世界へ行くんじゃないかしら」

「それまで待てないの」

「待てないのよ」

姉は苦し気に息をした。本人は自覚していないかもしれないが大層きつい表情にな
り、「浮かばれない」というのは、こういうことだなと私はぞっとした。

「私ね、こんなつらい思い持ったままだと、あの世でいいランクの場所へ行けないよ
うな気がする」

「やっぱりランクってあるんだ」

「そりゃそうでしょ。マザー・テレサと、私が同じ場所に行けるはずないと思うもの。

ね、お願い。なっちゃんお願い。一週間後に私、またここに来るわ」

「もうちょっと待てないの」

「駄目なの。一週間が限界よ。じゃ、よろしく。本当に本当に、なっちゃんだけが頼
りなの。たったひとりのきょうだいですものね」

そして姉の姿は消えた。

次の日、私はインターネットで調べて、片っぱしから興信所に電話をかけた。が、
答えはどこも同じだった。尾行をするにしても、六日間ではちゃんとした結果が出な

いというのだ。

いっそ自分で調べてみようか。私はフリーで翻訳をしている。フランス語の翻訳というのは仕事が少ない。何年か前までは通訳も兼ねてやっと生活していたのであるが、印税契約をしたファンタジー小説があたった。これはシリーズ化され、前ほどはあくせく働かなくても済むようになっていたのだ。六日間、姉のために深沢を尾行するぐらい出来ないことはないだろう。しかし、とまた考えた。時間はこの六日間しかないのだ。深沢が忙しくて、あるいは相手の女性の都合が悪く、この六日間デイトをしなかったら尾行をしても無駄になる。やはりシロウトは、慣れないことをしない方がいいだろう。

私は竹岡《たけおか》のことを思い出した。彼は飲み屋で知り合った、編集プロダクションの社長である。この業界に多い左翼崩れで、全共闘のかなり上の方にいたらしい。今は編集といっても、ブラックジャーナリズムというやつで、つき合わない方がいいと何人もの友人から忠告されたものだ。けれども、私好みの外見を持つ五十男で、話も面白くやたら魅力的だった。つき合う、というほどではないが、五、六度寝たことがある。

私は彼に電話をかけた。彼ならば裏の世界に通じる総会屋だろうとヤクザだろうと知っているだろう。文知出版の会長の愛人を探るぐらいわけのないはずだった。

「文知の深沢会長の愛人か……」

受話器の向こうで、竹岡はしばらく沈黙した。

「それは、森田《もりた》春子。あんたの姉さんだよ」

「有名なの」

「そりゃ、この業界で知らない者はいないさ。でもあんたの姉さんはえらかったよ。おとなしく愛人人生を全《まっと》うした。だから総会屋も黙ってたんじゃないかな」

「でもね、深沢会長、最近新しい愛人が出来たみたいなの」

「だけど彼は、もう七十を過ぎているだろう。昔から女好きの精力絶倫タイプじゃなかったからな。あんたの姉さんとのことは、世間じゃ純愛物語になってる。ちょっと意外だな」

「お願いよ。お金を遣ってもいいから、その女の人のことを調べてくれないかしら」

「ちょっと時間をくれよ」

「駄目なの。六日間しか時間がないのよ」

私は姉の幽霊のことを話そうとしてやめた。ああいうものを見ない人が、見た者の話を信じるはずはなかった。私は姉の死が耐えられず、頭がおかしくなった女ということになるだろう。とにかくお願い、お願いしますと私は彼に頼み込んだ。

しかし彼からの電話はなく、私は気が気ではなかった。火曜の夜、姉はもう一度私のところへやってくると言った。その時までに女のことが調べ上げられなかったらどうしたらいいのだろう。姉は成仏することはしても、無念の思いを抱いたまま、あの世で低いステージに入れられるのではないだろうか。いっそのこと深沢のところへ行き、直談判《じかだんぱん》してみようか。姉が幽霊となってやってきて、あなたの愛人を調べてくれと言っている。姉を成仏させるためにも、どうか本当のことを教えてほしい……。心を込めて頼めば、案外きちんと答えてくれるのではないだろうか。いいえ、待てよ、と私は思った。

問題はふたつある。ひとつめは深沢が幽霊の存在を信じてくれるかどうかということだ。私が出鱈目《でたらめ》を言って、脅してでもいるように思われないだろうか。深沢という人に会ったことがないので、全く見当がつかない。いい人間だと信じたいが、へんに勘ぐられたらどうしようか。ふたつめは、姉のプライドの問題だ。昔からええかっこしいの女であった。今度のことにしても、深沢のところへ幽霊となって直接行ってもよかったのだ。それをしなかったのは、女のプライドというやつだろう。私も元の夫に浮気されたことがあるのでよくわかるが、他の女によって苦しんだり悩んだりしているのだと男に知られるのは大層口惜《くや》しい。直接男を責めたり、感情をぶちまける女は多いらしいが、私たち姉妹はそうではなかった。姉が私のところへ来て、深沢の女を調べてくれというのは、ちゃんと理由があるのだ……。

そして竹岡からの電話があったのは、姉と約束した日の前日であった。

「ようやくわかったよ」

出版社専門の総会屋から聞き出したという。

「まあ、ありきたりの話だな。相手は銀座のホステスだ。しかも今どき珍しい文壇バーの女の子だというんだから、深沢さんも手近なところで見つけたもんだな」

私も心底がっかりした。

うちの父もよく言っていたことがあるが、姉の人生は深沢を愛したことで変わってしまった。美人で頭もよく、一流といわれる大学を出ている。あのままいけば、どんな幸せでも手に入れられただろう。けれども姉は、日陰《ひかげ》の身の上というやつになり、家庭を持つ男を待つ生き方を選んだ。父いわく、

「男のために、一生を棒にふった」

ということになるのだ。姉の場合、そこから奮起し、自分の仕事を見つけたのであるが、やはりトータルで見れば損をした人生であることに間違いはないだろう。

それほど愛した男が、今度はホステスと浮気していたのだ。姉がこのことを知った

ら、どれほど腹を立てるだろう。ホステスにそれほどの偏見はないつもりだったが、こうなると話は別だ。金持ちの老人と水商売の女との組み合わせなど、俗っぽくてあたりまえ過ぎて悲しくなるのだ。

「タケちゃん、今夜ひま？　ねえ、そこに連れていってくれない」

「急にそう言われてもなァ」

「お願い、急いでいるのよ。一生恩にきるわ」

「わかった。なんとか都合をつけるけど、もうひとり連れていってもいいかい。その店はたいしたとこじゃないらしいが、一応銀座だから一見《いちげん》さんはちょっと行きづらい。よく行く出版社の奴《やつ》を連れていった方がいいと思う」

「わかった。任せるわ」

何とか間に合いそうだ。私は自分の部屋の棚に置いた、姉の位牌《いはい》に向かって手を合わせた。

「いい、ちゃんと見てくるからね。何があっても恨みっこなしよ」

が、考えてみると、明日姉はここにやってくるのだ。つい習慣から位牌に向かって話しかけたが、姉の霊はまだそこいらをうろうろしているらしい。私の言葉はちゃんと通じているのだろうか。まあ、いい。今はちょっと自分を励ましてみたかっただけなのだ。位牌をもう一度眺める。祖父母の代からつき合いのある寺なので、結構長いいい戒名をもらった。ミエっぱりなところがある姉には喜んでもらえただろう。そして視線を落とす。この棚の引き出しには、例のバイブレーターが入っている。ピンク色の最新の型であった。ゴミの日に出すのにははばかられて、こうしてしまっているのだ。いや、姉が幽霊になっても案じていたものだ。あっさりと捨てる気にはなれなかった。いずれいちばんいい形で、どうにかするつもりだけれども。

幽霊は真夜中に現れるというけれども、姉がやってきたのは午前二時過ぎだった。先日よりも透けるようになっていて、声も弱々しい。舞い戻ってくるエネルギーがもうないのだろう。

「相手の女の人に会ってきたわ」

一秒も無駄に出来ないと思った私は、自然早口になる。一枚の写真を見せた。

「ふざけたふりをして、店でケータイで撮ったの。それをプリントしたのよ」

姉は手に取ろうとしたが、指が半分消えかかっていたのでうまくいかなかった。これよと、私は拡《ひろ》げて見せてやる。

「ほら、ハルちゃんにそっくりでしょ。私も会ってびっくりしたの。この目のところなんか、ハルちゃんの若い頃そのまんまよ」

そう言った後、「若い頃」という表現は少しきつかったかなと思った。が、仕方ない。この後も同じようなことを言うのだから。

「ねえ、深沢さんのこと、許してあげなよ。あの人、本当にお姉ちゃんのことが好きだったんだと思う。でもね、ちょっと若いのに惹《ひ》かれちゃったのよ。ハルちゃんのリメイク版というやつに興味を持っただけだと思うよ」

「そうかしら……」

「そりゃ、ハルちゃんにしてみれば、ものすごく頭にくると思うけど、この写真見るとさ、ま、あのおじさんの気持ちもわかると思わない」

私と一緒にピースサインをしている彼女は、通販で買ったような野暮ったい白のスーツを着ていた。まだこの世界にあまりなじんでいない感じだ。姉ほどの知性はないけれども、抜けるような白い肌と、黒目がかった、やや下がり気味の大きな目は、二十代の姉を見ているようだった。

「あのおじさん、きっとロマンティストなんだね。出会った頃のハルちゃんの姿と、あの女の人の姿を重ねたんだと思うよ。だからさ、あんな手紙書くことなかったんだよ」

「そう、そう、思い出したわ。私がいちばん気になっていたのはそれだったのよ」

バイブレーターとは別の引き出しに入っていたのは、姉が書いた遺書であった。深沢にあてたもので、心変わりを恨み、自分がいかに無意味な歳月を過ごしたかが、えんえんと綴《つづ》られていた。

「あれは発作的に書いたものよ。本当に自殺するつもりなんかなかったのよ」

「わかるわ」

「死のう、死のう、って思ってた時もあるけど、ビルから飛び降りたり、ガスの栓まわしたりするのは怖くて出来なかった。ところがある日ひょっこり、死んじゃうことってあるのねえ……」

しみじみと言う。

「あのさ、昨日お墓へ行ったら、花とお線香があった。たぶん深沢さんだと思う。聞いた話だけど、あのおじさん、ふつうじゃないおち込み方だって」

「そりゃそうでしょう。私たち、夫婦みたいなものだったんですもの」

姉は勝ち誇ったように言う。

「でもさ、ハルちゃん、本当に、本当にあの人のこと、愛していたんだね。こんな風に出てきたんだもんね」

私がそう言うと、姉の姿がはにかんだように二、三度白く光った。

この作品は平成十六年十一月新潮社より刊行された。

江國香織著　こうばしい日々
坪田譲治文学賞受賞

恋に遊びに、ぼくはけっこう忙しい。11歳の男の子の日常を綴った表題作など、ピュアで素敵なボーイズ&ガールズを描く中編二編。

林真理子著　アッコちゃんの時代

若さと美貌で、金持ちや有名人を次々に虜にし、伝説となった女。日本が最も華やかだった時代を背景に展開する煌びやかな恋愛小説。

林真理子著　ミカドの淑女《おんな》

その女の名は下田歌子。明治の宮廷を襲った一大スキャンダルの奇怪な真相を、当時の異様な宮廷風俗をまじえて描く異色の長編小説。

林真理子著　着物の悦び
―きもの七転び八起き―

時には恥もかきつつ、着物にのめり込んでいったマリコさん。まだ着物を知らない人にもわかりやすく楽しみ方を語った着物エッセイ。

江國香織著　東京タワー

恋はするものじゃなくて、おちるもの――。いつか、きっと、突然に……。東京タワーが見える街で繰り広げられる狂おしい恋愛模様。

林真理子著　素晴らしき家族旅行

ひと回り年上の妻を連れ、実家で同居を始めたら、さあ大変！　菊池家の仰天ドタバタ騒動を鋭く描く、笑いあり涙ありの大家族小説。

江國香織著
# ぬるい眠り

恋人と別れた痛手に押し潰されそうだった。大学の夏休み、雛子は終わった恋を埋葬した。表題作など全9編を収録した文庫オリジナル。

林　真理子著
# 断崖、その冬の

北陸の冬の町で出会った年上のアナウンサー枝美子と、若きプロ野球選手の志村。暗い冬に咲いた、荒々しく甘美な恋の行方は……。

江國香織著
# がらくた

島清恋愛文学賞受賞

海外のリゾートで出会った45歳の柊子と15歳の美しい少女・美海。再会した東京で、夫を交え複雑に絡み合う人間関係を描く恋愛小説。

林　真理子著
# 花　探　し

男に磨き上げられた愛人のプロ・舞衣子が求める新しい「男」とは。一流レストラン、秘密の館、ホテルで繰り広げられる官能と欲望の宴。

江國香織著
# きらきらひかる

二人は全てを許し合って結婚した、筈だった……。妻はアル中、夫はホモ。セックスレスの奇妙な新婚夫婦を軸に描く、素敵な愛の物語。

江國香織著
# つめたいよるに

愛犬の死の翌日、一人の少年と巡り合った女の子の不思議な一日を描く「デューク」、デビュー作「桃子」など、21編を収録した短編集。

# 知《し》りたがりやの猫《ねこ》

新潮文庫　は－18－11

平成十九年六月一日発行
平成二十三年二月二十日二刷

著者　林《はやし》真《ま》理《り》子《こ》

発行者　佐藤隆信
発行所　株式会社　新潮社
郵便番号　一六二―八七一一
東京都新宿区矢来町七一
電話　編集部(〇三)三二六六―五四四〇
読者係(〇三)三二六六―五一一一
http://www.shinchosha.co.jp
価格はカバーに表示してあります。
乱丁・落丁本は、ご面倒ですが小社読者係宛ご送付ください。送料小社負担にてお取替えいたします。

印刷・大日本印刷株式会社　製本・憲専堂製本株式会社


ISBN978-4-10-119121-8 C0193